A mi padre, la piedra angular
en la cual se cimienta mi patrimonio y mi fe.

LAS
CINCO PIEZAS PRINCIPALES
DEL
ROMPECABEZAS DE LA VIDA

de
E. JAMES ROHN

©1981, Jim Rohn
©1995, Lydia Colón
Propietaria exclusiva, a nivel mundial, de los derechos subsidiarios de la obra en castellano y portugués

Publicado por Lydia Colón
Jim Rohn Latin America
Miami, Florida

Primera impresión en castellano, 1995
Número en el catálogo de la Biblioteca del Congreso:

95-081748

ISBN:0-9648899-1-9

JIM ROHN LATIN AMERICA
P. O. Box 960688
Miami, Florida 33296-0688
Teléfono: 305/386-2687
Facsímil: 305/388-4567

INDICE

PREAMBULO

La naturaleza inherente del éxito lo torna perplejante y elusivo y hace que vierta sus recompensas únicamente en un puñado de quienes lo persiguen.

La naturaleza, con un diseño complejo, ha dictado que el éxito sea una condición que debe ser atraída y no perseguida. Alcanzamos recompensas y progresamos no como consecuencia de nuestra búsqueda intensa, sino por lo que realmente somos, ya que lo que somos es lo que finalmente determina los resultados que atraemos.

"Para **tener** más, tenemos primero que **convertirnos** en más". Esta es la esencia de la filosofía para lograr desarrollo personal, el éxito y felicidad a que se refiere Jim Rohn en Las Cinco Piezas Principales del Rompecabezas de la Vida.

Es nuestra **filosofía** personal la que establece nuestra actitud individual. Es nuestra **actitud** la que determina tanto la cantidad como la calidad de nuestro nivel de actividad. Esta actividad produce un resultado final y proporcional y dicho resultado nos proprociona el **estilo de vida** del cual gozamos.

Los resultados y el estilo de vida son los efectos — las condiciones que heredamos — pero los componentes de la causa final del efecto son nuestra filosofía personal, nuestra actitud y nuestra actividad.

Para cambiar el efecto debemos alterar la causa; más, sin embargo, muchas personas maldicen el efecto pero continúan nutriendo la causa.

En este, su tercer libro, Jim Rohn nos brinda ideas y su discernimiento en su inimitable estilo propio que proporciona una voz con esperanza, inspiración y respuestas para aquellos que están en búsqueda de una vida mejor. En su texto proporciona substancia y aliento a todos aquellos que abrazan la filosofía "Puedes tener más de lo que tienes porque puedes **convertirte** en más de lo que eres".

Deje que las palabras hagan impacto. Deje que el mensaje de Jim Rohn le inspire. Permita que la filosofía de Jim Rohn afecte su vida. Después de leer **Las Cinco Piezas Principales del Rompecabezas de la Vida** y de conocer a fondo su filosofía, ¡es posible que Ud. descubra su potencial en un grado no visto anteriormente!

Lydia Colón
Presidente
Jim Rohn Latin America, Inc.

INTRODUCCION

En este momento tiene en sus manos un documento que representa una fuerza sorprendente, y confío que Ud. *leerá* este libro con la misma seriedad con que yo lo he escrito. Lo que sus ojos están captando son únicamente palabras impresas en una página. Las palabras y las ideas que éstas comunican tienen un poder único. Nuestro objetivo — el suyo y el mío — será el trasformar estas palabras impresas en ideas y emociones, que se convertirán en las herramientas necesarias para forjar una nueva vida, con nuevos objetivos y con una determinación que le llevarán a conseguir lo que desee y a convertirse en lo que quiera ser.

La mayoría de los libros se escriben con el fin de entretener o informar. *Este* libro ha sido escrito con el fin de *inspirar*. Por virtud de haber obtenido este libro, indica sólidamente que Ud. está buscando algo. También hay posibilidades fuertes que existe algo en su vida que Ud. desea cambiar. Quizás crea que merece recibir una recompensa mayor que su sueldo actual, o que su ocupación actual no le permite utilizar todo su talento y habilidad. Tal vez esté luchando con un dilema personal que le tiene perplejo.

Cualquiera que sea el motivo que le ha traído al momento presente — un momento en el que se ha detenido a examinar las ideas que contiene este libro — parece ser que Ud. está en búsqueda de *respuestas*. Es Ud. uno de esos seres humanos afortunados listos para un cambio y el *lograrlo* es el objetivo de este libro: la transformación de la vida individual de un ser humano de lo que es y donde está a lo que quiere ser y donde quiere que *esté*.

Cómo se inicia el proceso de cambio

El cambio proviene de dos fuentes. En primer lugar, es posible que la *desesperación* nos arrastre al cambio. Algunas veces las circunstancias pueden estar tan descontroladas que casi consiguen

11

que abandonemos nuestros esfuerzos en búsqueda de respuestas, por estar nuestras vidas aparentemente llenas de *preguntas* imposibles de contestar. Sin embargo, este sentimiento abrumador de desesperación es lo que finalmente nos *impulsa* a buscar soluciones. La desesperación es el resultado final e inevitable de meses o años de abandono acumulado. Esta acumulación nos lleva a un punto en que nos impulsa la necesidad urgente de encontrar respuestas inmediatas a los desafíos acumulados en la vida.

La segunda fuerza que nos lleva a efectuar cambios en nuestra vida es la *inspiración*. Espero que esta sea la situación en que Ud. se encuentre en estos momentos — listo a inspirarse lo suficiente para lograr cambios dramáticos en su vida, como resultado del mensaje que estoy listo a compartir con Ud.

La inspiración puede tener lugar en cualquier momento y provenir de muchas fuentes. Una pieza musical puede ser motivo de inspiración, un libro puede inspirarnos al igual que un discurso efectivo y conmovedor. La historia de una persona que ha alcanzado el éxito superando dificultades puede avivar nuestras emociones. La inspiración, cualquiera que sea su fuente, despierta sentimientos dentro de nuestro ser que reviven la esperanza, la ambición y la determinación. Es una voz susurrante y fugaz que nos alienta y nos da confianza para reconocer nuestro potencial. Sentimos la chispa del deseo, nuestra mente vislumbra una y otra posibilidad, y cada idea reboza de las promesa de un futuro iluminado por el éxito y la felicidad. En este breve momento en que la inspiración despierta el alma, podemos ser impulsados a la acción o permanecer inertes — gozando del calor que radiamos internamente hasta que, finalmente, este calor desaparece llevándose consigo la promesa y las posibilidades.

Dondequiera que la vida le encuentre en este momento, ya sea respondiendo a la desesperación o buscando inspiración, le pido encarecidamente que me preste su atención total y que me prometa terminar este libro, no sólo comenzarlo. Finalmente, nuestras vidas serán juzgadas no por lo que comenzamos sino por aquellas cosas que, con nuestro esfuerzo y resolución, llevamos a una *conclusión* exitosa.

Con gran cuidado he reunido ideas que son realmente capaces de cambiar la vida. La inspiración que espero obtenga Ud. de este libro tiene la capacidad de cambiar *cualquier* circunstancia humana. Pero para que estas ideas puedan surtir un efecto mágico en su vida, Ud. tendrá que dedicar tiempo durante las próximas semanas para contemplar seriamente la dirección en que se dirige, ponderar el mensaje y aplicarlo cuidadosamente, como aparece en las páginas siguientes.

Permítame comenzar compartiendo con Ud. unas ideas preliminares que pueden encaminarlo en su viaje hacia el éxito y la felicidad.

La clave para el éxito y la felicidad

Siempre existen unos pocos principios importantes responsables de la mayor parte del progreso en nuestras vidas. Son estos "fundamentos" los que ejercen el efecto más importante en nuestra salud, nuestra felicidad y nuestra cuenta bancaria. No quiero sugerir que *sólo* existen unas pocas ideas capaces de cambiar la vida y que nos afectarán, ya que indudablemente hay muchas de ellas. Lo que *estoy* sugiriendo, sin embargo, es que Ud. debe comenzar su búsqueda enfocando su atención en los cinco puntos básicos que examinaremos en este libro. Son estos pocos, entre la totalidad de ellos, los que serán responsables de la mayoría de los resultados que Ud. alcance.

Ud. nunca podrá controlar *todos* los aspectos de la vida. Tratar de ser el amo de todos los detalles de su vida únicamente le llevará a la frustración. En vez, ¿por qué no escoger unos pocos entre todos ellos? Escoja los pocos que son capaces de ocasionar *mayores* cambios — lo que haga el mayor impacto en la determinación de la calidad de su existencia.

Conforme estudie su mundo en búsqueda de las respuestas para una buena vida, busque siempre las *pocas* cosas que producen *mayor* diferencia. Si aprende estos punto básicos le prometo que los resultados no le desilusionarán.

Son los puntos básicos — los fundamentos de la vida — los que necesitamos controlar. Estas son las mismas claves para el éxito y la felicidad que existen desde hace seis mil años de historia documentada. No existen fundamentos *nuevos* para los logros del ser humano. Lo básico es básico y cualquier otra cosa es solamente una actividad diseñada para refinar o ampliar esos mismos principios.

En cualquier intento para mejorar sus circunstancias actuales, Ud. no debe alejarse de estos principios confirmados por los siglos, y que han pasado de generación a generación en corriente continua para servir como los fundamentos para encontrar, desarrollar y vivir una buena vida.

Las cinco piezas del rompecabezas de la vida

Si todo el que leyera este libro se sentara a detallar su lista propia de los cinco principios más importantes para lograr la mayor diferencia, probablemente tendríamos cien respuestas diferentes para compartir unos con los otros. Hasta cierto punto, todas las respuestas serían las correctas, ya que todos tenemos ciertos principios en mayor estima que otros.

Es importante comprender que la lista que voy a compartir con Uds. en este libro, no quiere decir que *mis* cinco sean los únicos válidos, excluyendo a todos los otros. No soy ni tan sabio ni tan presuntuoso para creer que poseo todas las respuestas ni que las mías sean las *únicas*. Los principios que aparecen en este libro son cinco conceptos importantes que son hoy tan fundamentales para su éxito, como lo fueron para las generaciones previas. Durante todos mis años de estudio y experiencias, durante todos mis encuentros con el éxito, estos conceptos han permanecido incólumes en su capacidad para producir cambios en la vida.

INTRODUCCION

La permanencia es frecuentemente el mejor indicador de validez y valor. Por ello lo he invitado a que preste atención a estos cinco principios duraderos — los fundamentos que parecen estar siempre presentes, guiando las vidas de aquellos que han alcanzado buenos resultados en el manejo de los desafíos y las oportunidades de la vida.

Yo no soy el poseedor de las respuestas concluyentes para encontrar la buena vida. Sé que hay muchas personas que alegan conocer *la verdad* y quienes sugieren que han descubierto la respuesta definitiva para el rompecabezas de la vida. Pero nunca puede existir una respuesta única y definitiva, sencillamente porque nunca existirá una pregunta única y definitiva. Por lo tanto, mi mejor consejo siempre ha sido limitarse a los fundamentos. Si le presta tiempo y atención cuidadosa a cada uno de los fundamentos que vamos a compartir, indudablemente se alegrará con los resultados obtenidos, pues son Las Cinco Piezas Principales del Rompecabezas de la Vida.

CAPITULO PRIMERO

FILOSOFIA

La filosofía es la piedra angular en las bases del Las Cinco Piezas Principales del Rompecabezas de la Vida. Nuestra manera de pensar es un factor importante en la determinación del resultado de nuestras vidas. Todo lo que se desarrolla en la mente humana, ya sean ideas, pensamientos o información, forma nuestra filosofía personal. Nuestra filosofía luego influencia nuestras costumbres y comportamiento y es aquí donde radica el comienzo de todo.

Cómo se forma nuestra filosofía personal

Nuestra filosofía personal proviene de lo que sabemos y del proceso por medio del cual *llegamos* a saber todo lo que sabemos actualmente. En el transcurso de nuestras vidas recibimos impacto de una multitud de fuentes. Lo que sabemos proviene de la escuela, de los amigos y asociados, del hogar y de la calle, de influencia ejercida por los medios de comunicación, proviene de los libros y del proceso de leer, de escuchar y de observar. Las fuentes de conocimientos e información que han contribuido a la formación de nuestra filosofía actual son casi ilimitadas.

Como adultos, toda la información que nos llega es examinada bajo el lente de nuestra filosofía personal. Agregamos a nuestro inventario de conocimientos aquellos conceptos que parecen estar de acuerdo con las conclusiones que ya nos hemos formado y de esta manera reforzamos nuestra manera de pensar actual. Aquellas ideas que parecen contradecir nuestras creencias generalmente se rechazan rápidamente.

Constantemente estamos en proceso de confirmar, a la luz de nueva información, nuestras creencias existentes. Conforme mezclamos lo nuevo con lo viejo, el resultado es el fortalecimiento de nuestras creencias antiguas o la ampliación de nuestra filosofía actual, con base en nueva información acerca de la vida y las personas.

Las mismas creencias que dan forma a nuestra filosofía personal determinan nuestro sistema de valores. Nuestras creencias nos llevan a decidir que es lo que, como seres humanos, consideramos valioso. Con el paso del día, decidimos *hacer* lo que consideramos *valioso*. Si una persona decide comenzar su día a las cinco de la mañana para aprovechar las oportunidades que le permitirán proporcionarle a su familia las cosas buenas de la vida, ¿qué está haciendo *realmente* esa persona? Está haciendo lo que considera *valioso* de acuerdo con su filosofía. Al contrario, una persona que decide dormir hasta el mediodía *también* está haciendo lo que considera valioso. Sin embargo, el *resultado* de las dos filosofías — de acuerdo con la apreciación de las personas acerca de lo que consideran valioso — será inmensamente diferente.

Todos tenemos ideas propias acerca de las cosas que afectan nuestras vidas, basadas en la información que hemos recopilado con el paso de los años. Cada uno de nosotros tiene un punto de vista personal acerca del gobierno, la educación, la economía, nuestro patrón y un sinnúmero de otros temas. Lo que *pensamos* acerca de estos temas se suma a nuestra filosofía emergente y nos conduce a ciertas conclusiones referentes a la vida y a la manera como funciona. Estas conclusiones, a su vez, nos llevan a juzgar ciertos valores y este juicio determinará nuestra actuación en un día dado, o bajo ciertas circunstancias. Todos hemos tomado y seguiremos tomando decisiones basándonos en todo aquello que consideramos valioso. Si las decisiones que tomamos nos llevan al éxito inevitable o al fracaso ineludible, el desenlace depende de la información que hayamos recogido a través de los años para formar nuestra filosofía personal.

La filosofía personal es igual al ajuste de la vela

En el transcurso de la vida, los vientos de las circunstancias soplan sobre todos nosotros en una corriente continua que afecta cada una de nuestras vidas.

Todos hemos experimentado los vientos de la desilusión, de la desesperación y del dolor abrumador. Entonces, ¿por qué si todos nos embarcamos en el mismo lugar al principio de nuestras vidas, con la intención de llegar al mismo destino, llegamos a lugares tan diferentes al final del trayecto? ¿No navegamos todos en el mismo mar? ¿No nos han impulsado a todos los mismos vientos de las circunstancias y no hemos sufrido el embate de las mismas tormentas turbulentas del descontento?

La manera como hemos ajustado nuestra vela determina la fuerza que nos guía a los destinos diferentes en la vida. La manera de *pensar* de cada uno es lo que más diferenciará nuestros puertos de *llegada*. La diferencia principal no la establecen las circunstancias, la diferencia *principal* radica en el *ajuste de la vela*.

A todos nos afectan las mismas circunstancias. Todos tenemos desilusiones y nos enfrentamos a desafíos. También sufrimos reveses y momentos en los cuales, a pesar de nuestros mejores planes y esfuerzos enormes, las cosas parecen desmoronarse. Las circunstancias desafiantes no son eventos reservados para los pobres, los ignorantes o los menesterosos. Los ricos y los pobres tienen hijos que se meten en apuros. Los ricos y los pobres tienen problemas conyugales. Los ricos y los pobres se enfrentan a los mismos desafíos que pueden llevar a la ruina financiera y a la desesperación. En el análisis final, la calidad de nuestras vidas no la determina *lo que sucede* sino lo que decidimos *hacer* después de haber luchado tratando de ajustar la vela, y descubrir que el viento ha cambiado de dirección.

Al cambiar la dirección del viento, *nosotros* tenemos que cambiar. Tenemos que luchar para ponernos en pie una vez más y reajustar la vela, de manera que nos conduzca hacia el destino que hemos escogido deliberadamente. El ajuste de la vela — nuestra manera de *pensar* y nuestra manera de *responder* — tiene una capacidad mucho mayor para destruir nuestras vidas que los desafíos a que nos enfrentamos. La rapidez y responsabilidad con que respondemos a la adversidad es más importante que la adversidad en sí. Una vez que nos disciplinemos para entender esto, finalmente y voluntariamente concluiremos que el gran desafío de la vida es llegar a controlar el proceso de pensar.

Aprender a reajustar la vela, de acuerdo con los vientos cambiantes, en vez de permitir que dichos vientos nos impulsen en una dirección que no hemos escogido, requiere el desarrollo de una disciplina totalmente nueva. Requiere que dediquemos nuestros esfuerzos para establecer una filosofía personal poderosa que ayude a influenciar positivamente todo lo que hacemos y todo lo que pensamos y decidimos. Si tenemos éxito en esta valiosa labor, el resultado se manifestará como un cambio en el nivel de nuestros ingresos, cuenta bancaria, estilo de vida y relaciones; en los sentimientos hacia las cosas de valor y en el razonamiento en los momentos en que nos encaramos a un desafío. Si podemos alterar la manera como percibimos, juzgamos y decidimos los asuntos de mayor importancia en la vida, podemos cambiar nuestras vidas de manera dramática.

Cómo desarrollar un filosofía personal poderosa

Las circunstancias no serán la influencia más importante en el momento de decidir lo que vamos a hacer con las oportunidades que se nos presenten el día de mañana. Lo más importante será nuestra manera de *pensar*. La suma total de lo que hayamos aprendido hasta ahora se reflejará en lo que pensamos y en las conclusiones a que lleguemos al enfrentarnos a los desafíos de la vida.

El proceso de aprendizaje juega un papel en la determinación de nuestra filosofía personal. Durante el transcurso de los años hemos logrado recoger una cantidad considerable de conocimientos. Es imposible vivir sin que la información que nos rodea haga impacto en nuestra manera de pensar. La mente humana está constantemente tomando fotografías y grabando las imágenes y los sonidos que nos rodean. Cada experiencia queda impresa en las neuronas del cerebro. Cada palabra, cada canción, cada programa de televisión, cada conversación y cada libro ha dejado una huella eléctrica o química en nuestra computadora mental. Cada emoción, cada pensamiento, cada actividad en que hemos participado ha creado un circuito nuevo en el cerebro que se ha conectado con los otros circuitos ya existentes. Todo lo que ha tocado nuestras vidas está grabado indeleblemente, y lo que somos hoy día es la acumulación de experiencias que están conectadas de manera intrincada por una combinación de impulsos eléctricos y químicos almacenados en el cerebro, cuyo peso es de unas tres libras. Todo lo que ha tenido lugar dentro y alrededor de nosotros se ha convertido en esta entidad única que llamamos el *sí mismo* — el ser humano diferente a todos los demás.

La manera de utilizar toda esta información y la manera de organizar todos estos conocimientos conforman nuestra filosofía personal. El problema radica en que mucha de la información que hemos recopilado ha producido conclusiones erradas acerca de la vida y éstas pueden obstaculizar el logro de nuestros objetivos.

El único método para eliminar estas barreras mentales es repasar, refinar y revisar nuestra filosofía personal.

La mejor manera de establecer una filosofía personal nueva y poderosa es comenzar con un repaso objetivo de las conclusiones que hemos obtenido de la vida. Cualquier conclusión que no esté trabajando a *favor* nuestro puede estar, de hecho, trabajando *en contra* nuestra. Imaginemos, por ejemplo, que un hombre haya decidido que su patrón no le está pagando suficiente. Su sistema de valores — basado en años de experiencia y de información acumulada — le indica: "Eso no es justo". Este juicio de valores le hace dar ciertos pasos como desquite. Como resultado, reduce sus esfuerzos y hace únicamente aquello que considera justificado bajo su sueldo actual. Esta decisión no tiene nada de malo... siempre y cuando que su objetivo sea permanecer en el lugar donde está, haciendo lo que está haciendo actualmente y recibiendo el mismo salario actual durante el resto de su vida.

Todas nuestras creencias y selecciones contraproducentes son el resultado de información incorrecta acumulada durante muchos años. Hemos estado rodeados de fuentes equivocadas y hemos acumulado datos errados. Las decisiones que estamos tomando no están equivocadas, si nos basamos en la información que tenemos; la causa de las malas decisiones es esta información equivocada. Desafortunadamente, estas decisiones erradas nos están alejando más y más, en vez de acercarnos a nuestras metas.

La importancia de nueva información

Ya que es imposible identificar y borrar toda la información equivocada que está almacenada en nuestras computadoras mentales, la única manera de cambiar nuestro proceso de razonamiento es introducir nueva información. A menos que cambiemos lo que sabemos, continuaremos creyendo, decidiendo y actuando de manera contraria a nuestros intereses.

Es esencial *obtener* — y obtener *correctamente* — la información que se requiere para el éxito y la felicidad. En caso contrario, navegaremos a la deriva y la ignorancia nos hará dar demasiada importancia a nuestro poder, prestigio y posesiones.

La pregunta que nos tenemos que plantear es, ¿dónde podemos obtener mejores ideas e información nueva y correcta que nos permitan ser más de lo que somos actualmente? Afortunadamente, estamos rodeados de un caudal de información positiva, esperando ser utilizada.

Aprenda de las experiencias personales

Una de las mejores maneras de ampliar las dimensiones de nuestros conocimientos es haciendo un repaso serio de nuestras experiencias del pasado. Todos llevamos dentro una biblioteca de experiencias. Los libros que ocupan espacio en los libreros de nuestras mentes fueron escritos y colocados allí por las experiencias vividas a partir del momento de nuestro nacimiento. Estas experiencias nos sugieren que hay una manera correcta y una manera incorrecta para hacer todo en la vida, para toda decisión a que nos *enfrentamos* y para todo obstáculo que nos *desafía*.

Una manera de aprender a hacer algo *bien* es hacer algo *mal*. Aprendemos tanto del fracaso como del éxito. El fracaso tiene que enseñarnos, ya que de otra forma el éxito no nos recompensa. Los fracasos y errores del pasado nos alientan a enmendar nuestra conducta actual, para evitar que el presente y el futuro sean poco más que una copia del pasado.

Todos tenemos grabados recuerdos de acciones llevadas a cabo en el pasado y de las recompensas o consecuencias subsiguientes a esas acciones. La clave es convertir en sirvientes a los recuerdos de esas acciones pasadas, ya que la repetición de esos eventos nos convierte en sus esclavos.

Tenemos que luchar para tener la seguridad que los recuerdos de experiencias pasadas, ya sean buenas o malas, sean veraces si es que nos van a servir y si van a hacer que nuestro futuro sea mejor que nuestro pasado. Tenemos que reflexionar en nuestro pasado, viviendo nuevamente esos momentos, ponderando las lecciones y refinando nuestra conducta actual basándonos en las lecciones de nuestra historia personal. Si en el pasado hemos manipulado la verdad, si hemos tenido la tendencia de culpar a otros en vez de culparnos a nosotros mismos, estamos buscando un escape de la realidad y estaremos destinados a repetir los errores del pasado y a vivir nuevamente las dificultades del presente.

Aprenda de una voz exterior

Podemos beneficiarnos de un poco de instrucción. En cierto sentido, éste es el propósito de este libro. Proporciona una voz nueva y objetiva para todos aquellos que están en búsqueda de nuevas ideas y discernimiento. Todos somos capaces de corregir nuestros propios errores, pero con frecuencia una voz *exterior* tiene gran valor — alguien que nos pueda dar una evaluación objetiva de lo que somos, de la manera como nos estamos desempeñando y del impacto potencial de nuestros pensamientos y de nuestras acciones para un futuro mejor.

Una evaluación objetiva que provenga de alguien cuyas opiniones respetamos (alguien fuera de nosotros) nos permitirá ver cosas que no vemos. En nuestro mundo personal tenemos la tendencia a ver solamente los árboles, mientras que un amigo capaz y objetivo es más apto a ver el bosque. La objetividad, brindada en forma de un consejo sabio por una persona en quien confiamos y a quien respetamos, puede guiarnos a la información temprana y correcta acerca de nosotros mismos y acerca del proceso que utilizamos para tomar decisiones. Puede evitar que lleguemos a conclusiones erróneas, basadas en la familiaridad con nuestro ambiente.

Podemos considerarnos verdaderamente sabios si nos disciplinamos para aceptar los consejos ofrecidos por alguien a quien le *importe*, ya que la vida y las circunstancias nos pueden forzar a aceptarlos de alguien a quien *no* le importe.

En el mundo de los negocios, los ejecutivos que han alcanzado el éxito, utilizan consultores quienes traen consigo una voz exterior con ideas frescas. Los empleados de una empresa pueden estar tan familiarizados con sus problemas que hayan perdido la capacidad de ver la solución que tienen frente a los ojos.

Todos tenemos que asegurarnos que tenemos acceso a la persona o grupo de asociados que hemos seleccionado para pedir consejo en situaciones en las que la dirección del viento ha cambiado con tanta frecuencia que ya no estamos seguros de si vamos por buen rumbo. Otros pueden ayudarnos a examinar nuestras acciones objetivamente para asegurarnos que no nos hayamos alejado de los *fundamentos*.

Aprenda de las experiencias de otras personas con el fracaso

Otras personas y sus experiencias personales nos ofrecen un sinnúmero de oportunidades para aprender. En todas las experiencias ajenas hay dos fuentes valiosas de información, dos actitudes mentales, dos categorías de personas con experiencias similares pero con resultados marcadamente diferentes. Estamos expuestos diariamente a representantes de ambos grupos. Cada grupo va en pos de su propia audiencia y cada uno ejerce efecto en aquellos que deciden escucharlo. Sin embargo, ambas fuentes son importantes. Una sirve como ejemplo que debe ser seguido y la otra como ejemplo que debe ser *evitado* — una *advertencia* que debe ser estudiada pero no emulada.

Todos debemos ser estudiantes del fracaso. Es parte de las experiencias del mundo — parte de las experiencias de la vida. ¿Por qué queremos estudiar los fracasos? Para aprender lo que *no* debemos hacer.

Todas las experiencias pueden servirnos de maestros, siempre y cuando que *aprendamos* de la información recibida y hagamos una inversión de su valor en nuestras vidas. Hay quien enseña que la asociación con personas que no han aprovechado sus vidas y oportunidades debe ser evitada a toda costa por temor a aprender sus malos hábitos y, como consecuencia, repetir sus errores desafortunados. Sin embargo, tal como alguien dijo sabiamente, "Los que no aprenden de los errores del pasado están condenados a repetirlos". Si ignoramos las lecciones del pasado, no obstante la fuente de sus orígenes, nos podremos convertir en víctimas del método de tanteo (por eliminación de errores). Si ignoramos las lecciones que nos ofrece la historia, nuestras tribulaciones nos pondrán a prueba y finalmente nuestros propios errores nos destruirán.

Desafortunadamente, quizás, los que fracasan no enseñan sus experiencias para que todos puedan escuchar. Si tuviéramos más oportunidades de aprender de las experiencias negativas de otros, podríamos, tal vez, salvar *nuestras* propias vidas del desastre.

Aprenda de los éxitos de otras personas

Vale invertir el tiempo y los recursos necesarios para llevar a cabo un estudio de las personas que han tenido éxito en la vida. Recoja las ideas y la información de todas las fuentes que tenga a mano. Lea los libros. Asista a los seminarios. Utilice el tiempo que sea necesario para acumular los conocimientos que el éxito requiere. Estudie las costumbres, el lenguaje, la manera de vestir y la disciplina de aquellas personas que han alcanzado el éxito.

Una de las fuentes importantes de la sabiduría, de aquellos a quienes les ha ido bien en la vida, son los muchos libros de citas que pueden obtenerse en las librerías. Con sólo leer las palabras de los que se han distinguido entre nosotros (pasados y presentes), podemos llegar a una mejor comprensión de las ideas que guiaron las vidas de los que fueron suficientemente importantes, suficientemente persuasivos, suficientemente influyentes y cuyas vidas fueron suficientemente exitosas para que sus palabras sean citadas.

Aproveche el poder de las influencias positivas

Todos debemos estar constantemente en búsqueda de personas que podamos admirar y respetar; personas en las cuales podamos modelar parte de nuestro propio comportamiento. Gran parte de quién somos y lo que somos en este momento es una combinación de las personas que nos han influenciado a través de los años. Durante nuestra juventud, nuestros ídolos eran personajes de los cuentos infantiles, artistas de cine y músicos famosos. Durante cierta época de nuestras vidas caminábamos, nos vestíamos y hasta tratábamos de hablar como nuestros héroes. Conforme crecimos y nuestra personalidad individual comenzó a desarrollarse, la emulación de otros se hizo menos evidente pero la influencia, a pesar de todo, continuó presente.

Sin consideración a nuestra edad o a nuestras circunstancias, nunca estamos completamente fuera del alcance de las influencias. La clave consiste en encontrar a seres humanos cuyas personalidades y logros nos estimulen, fascinen e inspiren para luego tratar de asimilar sus mejores cualidades. Los grandes proyectos se construyen con base en planos. En esta vida no hay un proyecto mayor que el desarrollo deliberado de nuestras vidas. Por lo tanto, cada uno de nosotros necesita un plano — algo o alguien que podamos ver y copiar — si queremos lograr cambio y progreso.

Todos somos influenciados por *alguien*. Ya que esta influencia determinará, hasta cierto punto, la dirección de nuestras vidas, es mucho mejor escoger *deliberadamente* las personas a quienes vamos a permitir ejercer influencia sobre nosotros, en vez de permitir que las influencias perjudiciales puedan surtir su efecto sin nuestro conocimiento, o sin haberlas escogido.

Conviértase en un buen observador

Nunca debemos permitir que transcurra un día sin encontrar la respuesta a una lista de preguntas importantes, tales como:

¿Qué está sucediendo en nuestra industria? ¿A qué nuevos desafíos se está enfrentando nuestro gobierno...nuestra comunidad... nuestro vecindario? ¿Cuáles son los nuevos descubrimientos, las nuevas oportunidades, las nuevas herramientas y técnicas que han salido a la luz recientemente? ¿Quiénes son las nuevas personalidades que ejercen influencia en la opinión del mundo y de la localidad?

Debemos convertirnos en buenos observadores y evaluadores astutos de todo lo que sucede a nuestro alrededor. Todos los eventos nos afectan y todo lo que nos afecta deja su huella en lo que llegaremos a ser y en la manera como viviremos en el futuro.

Una de las razones principales para el fracaso de ciertas personas en la vida es que constantemente tratan de *pasar* el día. Un desafío más productivo es tratar de *sacar* algo del día. Tenemos que tener suficiente sensibilidad para observar y ponderar lo que está sucediendo a nuestro alrededor. Esté alerta. Esté despierto. Deje que la vida y sus mensajes sutiles le toquen. Con frecuencia, las oportunidades más extraordinarias están escondidas entre eventos de la vida aparentemente insignificantes. Si nosotros no prestamos atención a estos eventos, fácilmente podemos dejar escapar las oportunidades.

Hoy en día ser un buen oyente es un reto. Hay tantas voces que reclaman nuestra atención, cada una con su mensaje y con su atractivo especial. Una de las mejores maneras de manejar este importante desafío es desarrollando el talento para *escuchar con selectividad*.

Escuchar con selectividad puede compararse con sintonizar la radio para encontrar la estación que más nos agrade. Mientras hacemos girar el botón, escuchamos durante uno o dos segundos y seguimos buscando o dejamos de hacerlo, de acuerdo con lo que acabamos de escuchar. Cada vez que una voz exija nuestra atención, debemos hacer una pausa y ponderar el mensaje. Si el mensaje es hueco e ignorante, debemos tener la disciplina necesaria para seguir adelante. Debemos tocar el botón sintonizador y pasar a la voz siguiente para que el mensaje ignorante y hueco no nos afecte.

Todo lo que escuchamos queda grabado en nuestras computadoras mentales y forma una nueva conexión en el cerebro. Es posible, que por curiosidad, escuchemos algunas voces por cierto tiempo. Sin embargo, si la voz no nos lleva hacia la obtención de nuestros objetivos, debemos actuar con gran cautela para determinar el tiempo que podemos escucharla. Debemos permitir que un mensaje nos toque solamente cuando encontremos una fuente de información valiosa, para que este mensaje agregue valor a quienes somos y lo que ya somos.

Uno de los atributos más importantes para el liderazgo es la comunicación efectiva y lo que debemos *decir,* sólo lo podemos aprender después de saber *escuchar.* El arte de escuchar nos brinda la oportunidad de agregar a nuestros conocimientos y aumentar nuestro valor personal. El proceso de *hablar*, por otro lado, despliega todo lo que hemos aprendido (o lo poco que hemos aprendido). Antes que nuestras palabras tengan gran valor para otros, tenemos que aprender el arte de *escuchar.*

La mejor manera de aprender lo que debemos decir a nuestros hijos es escuchándolos. Debemos leer los libros que ellos leen y de esta manera familiarizarnos con el mensaje que están recibiendo de diferentes fuentes. Al escuchar la información que nuestros hijos están recibiendo, aumentaremos nuestro conocimiento de su proceso para llegar a tomar decisiones, y esto nos ayudará a hablarles de manera más efectiva acerca de lo que es valioso.

Lea todos los libros

Todos los libros que necesitaremos para convertirnos en una persona tan rica, tan saludable, tan feliz, tan poderosa, tan sofisticada y con tantos éxitos como queremos...ya se han escrito.

Personas de todos los niveles de vida, personas que han vivido las experiencias más increíbles de la vida, personas que han pasado de la pobreza a la riqueza y del fracaso al éxito, han dedicado tiempo para escribir acerca de sus experiencias, para que podamos compartir su tesoro de conocimientos. Han ofrecido su sabiduría y la experiencia obtenida para que nos inspiren, nos instruyan y nos sirvan para enmendar nuestra filosofía. Sus contribuciones nos permiten reajustar nuestra vela basándonos en *sus* experiencias. Nos han dado el regalo de su discernimiento para que podamos cambiar nuestro planes, si fuera necesario, para evitar cometer los errores que ellos cometieron. Podemos cambiar nuestra vida basándonos en sus consejos sabios.

Todo el discernimiento necesario ya ha sido publicado, por otros, en libros. La pregunta importante es la siguiente: ¿Cuántos libros hemos leído durante los últimos noventa días, libros que ofrecen en sus páginas este tesoro de información, capaz de cambiar y mejorar nuestras vidas, nuestra fortuna, nuestras relaciones, nuestra salud, nuestros hijos y nuestra carrera profesional?

¿Por qué descuidamos la lectura de libros que pueden cambiar nuestras vidas? ¿Por qué nos quejamos pero continuamos estáticos? ¿Por qué es que tantos entre nosotros maldecimos el efecto pero alimentamos la causa? ¿Cómo explicamos el hecho que solamente el tres por ciento de nuestra población tiene una tarjeta para las bibliotecas — una tarjeta que nos daría acceso a todas las respuestas que pudiéramos desear para alcanzar el éxito y la felicidad? Los que desean una vida mejor no pueden darse el lujo de no leer los libros que tienen la capacidad de hacer un impacto importante en el desenlace de sus vidas. ¡Los libros que *no lean* no les ayudarán!

El asunto no es que los libros sean demasiado caros. Si una persona llega a concluir que el precio que debe pagar *por comprar* un libro es demasiado alto, ¡qué espere hasta que tenga que pagar el precio por *no* comprarlo! ¡Qué espere hasta que reciba la cuenta por su ignorancia continuada y prolongada!

Hay muy poca diferencia entre alguien que no *puede* leer y

alguien que no *quiere* leer. En ambos casos el resultado es la ignorancia. Aquellos que están buscando seriamente el desarrollo personal deben eliminar los escollos que ellos mismos han colocado en su capacidad y hábito para la lectura. Hay una multitud de clases para enseñar a ser un buen lector y hay miles de libros en los libreros de las bibliotecas públicas que están esperando ser leídos. La lectura es esencial para los que buscan elevarse a un nivel más alto que el nivel ordinario. No podemos permitir que nada se convierta en una barrera entre nosotros y el libro que podría cambiar nuestras vidas.

Un poquito de lectura diariamente producirá, en muy poco tiempo, un caudal de información valiosa. Pero si no sacamos el tiempo, si no tomamos el libro para leerlo, si no ejercitamos la disciplina, la ignorancia llenará rápidamente el vacío.

Aquellos que buscan una vida mejor tienen que convertirse primero en una mejor persona. Tienen que buscar continuamente la pericia interna para desarrollar una filosofía equilibrada de la vida y luego *vivir* de acuerdo con los dictámenes de esa filosofía. El hábito de la lectura es un escalón importante en el desarrollo de un base filosófica sólida. Es uno de los *fundamentos* requeridos para alcanzar el éxito y la felicidad.

Mantenga un diario personal

En nuestra búsqueda constante de conocimientos y comprensión, hay otra disciplina importante que nos ayudará a capturar la información que nos rodea, para que nuestro futuro sea mejor que nuestro pasado: Mantener un diario personal.

Un diario es el lugar donde depositamos todos nuestros descubrimientos y observaciones de la vida. Es la presentación escrita, narrada en nuestras propias palabras que captura las experiencias, ideas, deseos y conclusiones referentes a las personas y eventos que han hecho impacto en nuestras vidas.

Un diario nos proporciona dos beneficios extraordinarios.

Primero, nos permite capturar todos los aspectos del momento presente para poder revisarlos y estudiarlos en el futuro. Los eventos que tienen lugar en nuestras vidas — las experiencias que vivimos y de las cuales aprendemos — no deben sólo "suceder". Deben ser captadas para que sus lecciones puedan ser invertidas en el futuro. El pasado, si se ha documentado debidamente, es una de las mejores guías para tomar buenas decisiones hoy que nos llevarán a un mañana mejor.

Aunque es cierto que todos los eventos quedan grabados en el cerebro, no siempre podemos tener acceso a los detalles específicos que rodean estos eventos. Frecuentemente, los detalles pueden nublarse o distorsionarse con el transcurso del tiempo. Es posible que recordemos el resultado pero nos hayamos olvidado de la secuencia exacta de los eventos, o de las decisiones tomadas. Sin tener la información correcta para afinar nuestro recuerdo del pasado, corremos el riesgo de repetir muchos de los mismos errores una y otra vez.

Sin un diario, esos momentos especiales — esos hitos de emoción y experiencia — serán empujados por los vientos de nuestro olvido a un rincón escondido de la mente y su valor se perderá para siempre. La emoción de ese momento especial se desvanecerá rápidamente, a menos que sea captada en un diario. Podremos recordar el evento pero habremos perdido la emoción.

El segundo beneficio derivado de un diario es que, por sí, el *escribir* acerca de nuestras vidas nos ayuda a pensar de manera más objetiva acerca de nuestras acciones. La escritura tiende a demorar el flujo de información. Conforme hacemos una pausa para reunir nuestros pensamientos, acerca de un evento que estamos tratando de retener en papel, tenemos tiempo para ponderar y analizar la experiencia. Comenzamos a ver con mayor claridad la fuente de nuestra información, los hechos en los cuales hemos basado nuestra decisiones y las acciones que estamos tomando como reacción a nuestras creencias. En otras palabras, no es sólo el evento sino nuestra filosofía personal lo que sometemos a un escrutinio intenso en el proceso de plasmar nuestra vida en papel. Es este escrutinio intenso lo que nos permite perfeccionar nuestra filosofía con cambios que, a su vez, sean verdaderamente capaces de cambiar la vida.

La disciplina de un diario también desarrolla nuestra capacidad para comunicarnos de manera más efectiva. Entre más practicamos la captura de eventos y emociones con palabras, más claramente podremos comunicar no sólo nuestras ideas sino, también, el valor inherente que existe dentro de nosotros.

Es un hecho interesante que cuando el Presidente Kennedy fue asesinado, los diarios personales de algunos de los dirigentes más influyentes del país capturaron los eventos de ese día trágico. Mientras el avión presidencial cruzaba los cielos entre Dallas y Washington con el cadáver del presidente asesinado, muchos se sentaron en silencio a anotar en sus diarios sus recuerdos intensos de la tragedia. Fue una de las situaciones poco comunes en que la historia fue *anotada* en el momento en que sucedió, y no solamente una especulación de parte de los historiadores en una época posterior lejana. Esta combinación de relatos escritos sirvió, más tarde, como base del libro *The Death of a President,* una de las obras históricas más importantes de los últimos tiempos.

La mayoría de los hombre y mujeres que han alcanzado el éxito mantienen un diario personal que revisan frecuentemente. Es, para ellos, una segunda naturaleza. Parecen tener un instinto inherente que les indica que una vida que merece vivirse es una vida que merece documentarse. Es más, el proceso para formar el hábito deliberado y constante de escribir en el diario, bien puede ser una razón principal de su elevación a planos superiores de éxitos.

Son las disciplinas pequeñas las que llevan a los grandes logros. Cuando las personas promedio prestan cuidado y atención a las cosas importantes, el paso del tiempo es lo único que demora su ascenso al éxito y los honores. Tanto las disciplinas pequeñas como los *errores de juicio* tienen tendencia a acumularse. Las primeras para beneficio nuestro y los últimos para nuestro detrimento.

Ni el éxito ni el fracaso ocurren en un evento cataclísmico. Ambos son el resultado de la acumulación de decisiones aparentemente pequeñas e insignificantes cuyo peso combinado durante el transcurso de una vida proporcionan a la persona con su recompensa proporcionada. El llevar o no llevar un diario personal no es indispensable para lograr el éxito, pero el diario personal es una pieza importante, que llamamos filosofía, en el rompecabezas de la vida. Al abandonar el diario, el rompecabezas no puede llegar a estar verdaderamente completo.

No hay duda que nuestras vidas valen más que una partida de nacimiento, una lápida en una tumba y medio millón de dólares en servicios y artículos consumidos comprimidos entre esos dos hitos principales de nuestras vidas. Los diarios personales son las herramientas que nos permiten documentar los detalles de los fracasos y del progreso de nuestra existencia. Al mismo tiempo, el proceso nos permite llegar a ser más de lo que, de otra manera, hubiéramos sido.

Rápidamente nos estamos convirtiendo en una nación de intelectos pasivos. El abandono de nuestros talentos para la escritura y la lectura nos está llevando al hábito de la indisciplina al pensar. Si dudamos esto, sólo tenemos que ver el número de nuestros seres queridos que usan y venden drogas, el número de nuestros ciudadanos involucrados en crímenes violentos o delitos de naturaleza económica y el número de nuestros jóvenes que se retiran antes de tiempo de las escuelas. Falta de disciplina para pensar. Valores equivocados. Malas decisiones. Si esta tendencia no se corrige, dentro de poco habremos bajado al nivel de una potencia de tercera categoría.

No podemos convertirnos en una nación más fuerte hasta que comience a cambiar nuestra atención a los *puntos esenciales* de la vida. La capacidad para establecer un liderazgo más competente en nuestro gobierno, nuestras escuelas, nuestros negocios y nuestra comunidad yace en el valor emergente de la persona. Por esa razón, cada uno de nosotros debe comprometerse a desarrollar nuestro potencial humano en su totalidad, una disciplina a la vez, un libro a la vez y un párrafo en nuestro diario a la vez. Solamente persiguiendo activamente más conocimientos podemos refinar suficientemente nuestra filosofía personal y cambiar no solamente nuestras vidas, sino las vidas de los que nos rodean.

El proceso para tomar decisiones

Siempre que una idea nueva se cruza en nuestro camino, subconscientemente la colocamos en nuestra balanza mental y la pesamos para determinar el nivel en el cual actuaremos para recibirla. Aquellas ideas de mucho peso en nuestra balanza reciben atención inmediata; las ideas de poco peso reciben atención mínima o poco frecuente.

No importa cual sea el nivel de acción que determinemos es el correcto, nuestra *filosofía* tomará esta decisión. Si hemos fallado en nuestra adquisición de conocimientos adecuados, o si hemos fallado en perfeccionar o en aumentar los conocimientos que poseemos, un número significativo de nuestras decisiones nos pueden alejar del éxito en vez de acercarnos a él. Si tenemos inclinación a gastar tiempo considerable en cosas sin importancia o aun cantidades importantes de *dinero* en cosas insignificantes, es esencial que examinemos con más cuidado nuestro proceso para tomar decisiones.

El mundo está lleno de personas cuyas decisiones están destinadas a destruir sus posibilidades de éxito. Aquellos que no funcionan con base en una filosofía sólida, con frecuencia hacen lo que deben haber dejado sin hacer y no hacen lo que deben haber *hecho*. No establecen objetivos y prioridades. Vacilan entre una decisión y otra. Están conscientes que deberían estar haciendo *algo*, pero les hace falta la disciplina para convertir esta conciencia en acción.

Los días se llenan de docenas de encrucijadas personales al tener que tomar decisiones en asuntos de poca o mucha trascendencia. Es importante recordar que todas y cada una de las selecciones que hagamos durante estos momentos de decisión marca el rumbo hacia un destino futuro. Al igual que la suma total de nuestras decisiones pasadas nos han traído a nuestras circunstancias actuales, las decisiones que tomamos hoy nos llevarán a las recompensas o lamentaciones del futuro.

Preferencias. Decisiones. Selecciones. Cada una de ellas nos proporciona una oportunidad para determinar la calidad de nuestro futuro. Además, cada una exige que nos preparemos por adelantado para la decisión que vamos a tomar. En esos momentos de selección, son los conocimientos que hemos adquirido y la filosofía que hemos desarrollado de estos conocimientos lo que nos servirá o nos destruirá.

Es por esto que debemos preparnos constantemente para una confrontación no anticipada con selecciones importantes. Solamente con una preparación mental cuidadosa podemos hacer selecciones sabias repetidamente. Lo que *pensamos* ejerce influencia sobre lo que *escogemos*; lo que escogemos define lo que *somos* y lo que somos atrae lo que *tenemos*. Si no estamos contentos con el lugar al cual nos han llevado nuestras decisiones pasadas, el lugar de partida es nuestro proceso de razonamiento. Conforme agreguemos nuevos conocimientos, comenzaremos a refinar nuestra filosofía. Conforme cambien nuestras creencias, cambiarán, igualmente, nuestras selecciones y las selecciones mejores producirán mejores resultados.

El desarrollo de una filosofía sólida nos prepara para tomar decisiones sólidas. Al igual que un arquitecto, tenemos que aprender a imaginarnos el resultado que deseamos lograr y pasar entonces a construir una base sólida para sostener esta visión. Una vez que la visión haya sido definida claramente y la base haya sido establecida firmemente, las decisiones requeridas para completar la estructura se hacen con facilidad y sabiduría.

La fórmula para el fracaso

El fracaso no es un solo evento cataclísmico. No fracasamos de un día para otro. El fracaso es el resultado inevitable de la *acumulación* de malas ideas y selecciones equivocadas. En palabras más sencillas, *el fracaso no es más que unos pocos errores de juicio repetidos diariamente.*

Ahora, ¿por qué comete una persona un error de juicio y luego es tan tonta que lo *repite* día tras día?

La respuesta es: *Porque él o ella no piensa que esto importe.*

Por sí solas, nuestras acciones diarias no parecen ser tan importantes. Una pequeña falta de atención, una mala decisión o una hora malgastada no resultan, por lo general, en un impacto inmediato y medible. Generalmente nos escapamos de las consecuencias inmediatas de nuestros actos.

Si no nos hemos preocupado por leer un solo libro durante los últimos noventa días, esta falta de disciplina no parece hacer impacto inmediato en nuestras vidas. Por no suceder nada drástico al final de los primeros noventa días, repetimos este error de juicio durante los próximos noventa días... y los próximos... y los próximos. ¿Por qué? Porque no *parece* importar. Aquí radica el gran peligro. Mucho peor que no leer el libro es no darse cuenta que sí importa.

Aquellos que comen demasiados alimentos perjudiciales están contribuyendo a futuros problemas de la salud, pero el goce del momento oscurece las consecuencias en el futuro. No *parece* importar. Aquellos que fuman demasiado o comen demasiado, continuan haciendo esta selección año tras año... porque no *parece* importar. Sin embargo, el dolor y el remordimiento causados por estos errores de juicio solamente han sido postergados para un momento en el futuro. Las consecuencias pocas veces son instantáneas; más bien, se acumulan hasta que llega el día en que hay que pagar las cuentas y tenemos que pagar el precio de nuestros errores de juicio — errores que no *parecían importar.*

El atributo más peligroso del fracaso es su sutileza. A corto plazo, estos errores no *parecen* causar diferencia. No *parece* que estemos fracasando. Es más, algunas veces esta acumulación de errores de juicio tiene lugar durante un período de gran felicidad y prosperidad en nuestras vidas. Ya que no nos sucede nada terrible, ya que no hay consecuencias inmediatas que capten nuestra atención, sencillamente pasamos de un día al siguiente, repitiendo los errores, con pensamientos equivocados, escuchando voces equivocadas y haciendo las selecciones equivocadas. Ayer no se nos cayó el cielo encima y, por lo tanto, el acto es probablemente inocuo. Ya que pareció no tener consecuencias medibles, es probablemente seguro repetirlo.

¡Pero tenemos que estar mejor educados!

Si al finalizar el día en que cometimos nuestro primer error de juicio se nos *hubiera* caído el cielo encima, indudablemente habríamos dado los pasos necesarios para asegurar que dicho acto no se repitiera nunca más. Al igual que un niño que coloca la mano en una hornilla caliente a pesar de las advertencias de sus padres, tendríamos una experiencia instantáneamente acompañando nuestro error de juicio.

Desafortunadamente, el fracaso no nos grita sus advertencias de la misma manera que lo hacían nuestros padres. Por esta razón, es imperativo que refinemos nuestra filosofía para poder seleccionar mejor. Si tenemos una filosofía personal poderosa que guía cada uno de nuestros pasos, llegamos a estar mas conscientes de nuestros errores de juicio y más conscientes que cada error *sí* importa.

La fórmula para el éxito

Al igual que la fórmula para el fracaso, la fórmula para el éxito es fácil de seguir:

<u>Unas pocas disciplinas sencillas practicadas diariamente.</u>

Ahora, he aquí una pregunta interesante que vale la pena ponderar: ¿Cómo podemos cambiar los *errores* en la fórmula para el fracaso por las *disciplinas* requeridas en la fórmula para el éxito? La respuesta es: Haciendo que el futuro sea una parte importante de nuestra filosofía actual.

Tanto el éxito como el fracaso conllevan consecuencias futuras; es decir, las recompensas inevitables o el arrepentimiento ineludible que son el resultado de las actividades del pasado. Si esto es cierto, ¿por qué no hay más personas que tomen el tiempo necesario para ponderar el futuro? La respuesta es sencilla: Están tan cautivados por el momento presente que el futuro *no parece importar*. Los problemas y las recompensas de hoy son tan absorbentes para algunos seres humanos que no se detienen durante el tiempo necesario para pensar en el mañana.

Pero, ¿qué sucedería si desarrolláramos una nueva disciplina que nos hiciera tomar unos pocos minutos cada día para imaginar lo que nos espera en el futuro? Podríamos, entonces, prever las consecuencias inminentes de nuestra conducta actual. Armados con esta información valiosa, podríamos dar los pasos necesarios para cambiar nuestros errores por nuevas disciplinas orientadas hacia el éxito. En otras palabras, al disciplinarnos para imaginarnos el futuro, podríamos cambiar nuestra manera de pensar, enmendar nuestros errores y desarrollar nuevos hábitos para reemplazar los viejos.

Unas pocas disciplinas sencillas practicadas todos los días

Una de las cosas atractivas de la fórmula para el éxito es que los resultados son casi inmediatos. Conforme cambiamos voluntariamente los errores diarios por *disciplinas* diarias, experimentamos resultados positivos al cabo de un corto período de tiempo. Al cambiar nuestra dieta, al cabo de pocas semanas nuestra salud ha mejorado notablemente. Al comenzar a hacer ejercicios, sentimos nueva vitalidad casi inmediatamente. Al comenzar a leer nos damos cuenta de un nuevo nivel de confianza y seguridad en nosotros mismos. Cualquier disciplina que comencemos a practicar diariamente producirá resultados emocionantes que nos impulsarán a mejorar aún más en el desarrollo de nuevas disciplinas.

La verdadera magia de nuevas disciplinas es que éstas nos llevarán a cambiar nuestra *manera de pensar*. Si hoy comenzáramos a leer los libros, mantener un diario, asistir a las clases y escuchar y observar más, hoy sería el primer día de una vida mejor que nos encaminaría a un futuro mejor. Si hoy comenzáramos a tratar con más ahínco en todas nuestras actividades y a hacer un esfuerzo consciente y continuo por cambiar los errores sutiles pero perniciosos por disciplinas positivas y remuneratorias, nunca más tendríamos que conformarnos con una simple existencia — no sería posible después de haber probado los frutos de una vida substancial.

Hay quienes nos quieren hacer creer que no necesitamos las disciplinas para poder cambiar nuestras vidas — que lo único que necesita la persona es un poquito de motivación. Pero la "motivación" no es lo que hace que personas cambien sus vidas. Para cambiar una *vida* primero tenemos que cambiar nuestros hábitos en el proceso para pensar. Un tonto que se motiva no es más que un tonto motivado.

Para cambiar lo que somos a lo que deseamos ser, tenemos que comenzar con esos pocos fundamentos que afectan la manera como *pensamos*. Podemos cambiar enormemente el curso de nuestras vidas, invirtiendo más tiempo y haciendo un esfuerzo consciente mayor para refinar nuestra filosofía personal.

Lo emocionante es que no tenemos que cambiar mucho para que los resultados obtenidos nos cambien rápidamente.

Las disciplinas tienen tendencia a multiplicarse

Todas las disciplinas se afectan unas a las otras. Cada disciplina afecta no solamente la disciplina que ya hemos comenzado a practicar, sino las disciplinas que vamos a adoptar próximamente.

Todo afecta todo lo demás. Algunas cosas nos afectan más que otras, pero todo lo que hacemos afecta todo lo *otro* que hacemos. No creer en esto es ingenuidad. De aquí pueden provenir esos pequeños *errores* sutiles — no comprender el efecto que nuestros errores, repetidos durante un período prolongado de tiempo, ejercen en nuestras vidas.

Existe una tendencia en todos nosotros que nos permite continuar en una acción carente de disciplina. Nos decimos: "Solamente me permitiré esta debilidad en esta área". Pero este tipo de razonamiento es el principio de un proceso de decepción contra nosotros mismos, ya que cada acción sin disciplina tiene tendencia a abrir el paso a otras interrupciones en la cadena de la autodisciplina. La licencia que nos damos para desviarnos, aunque sea momentáneamente, de los parámetros de nuestra fuerza de voluntad, establece una *tendencia sutil* y con el transcurso del tiempo, indudablemente sufriremos la degradación de otras disciplinas que nos hayamos impuesto.

Ya que cada disciplina afecta todas las *otras*, tenemos que cuidar de todas ellas. No podemos permitirnos la indulgencia de *ningún* error repetido uno y otro día. Recuerde, cada permiso que nos demos para continuar cometiendo un error, afecta todos nuestros buenos hábitos y esto, con el tiempo, afecta nuestros *logros* futuros.

Pero hay un lado positivo; cada disciplina *nueva* afecta todas nuestras *otras* disciplinas. Cada nueva disciplina que nos impongamos afectará positivamente el resto de nuestro desempeño personal.

La clave es continuar buscando disciplinas pequeñas que nos demos cuenta que refinan nuestro razonamiento, enmiendan nuestros errores y mejoran nuestros resultados. Tenemos que continuar buscando hasta el más insignificante de esos errores de juicio que podrían convertirse en una disciplina nueva. Una vez que se inicia el ciclo de disciplinas, nuestros errores sentirán el efecto y, al retirarse, dejarán a su paso recompensas tangibles.

El éxito y la felicidad son fáciles de alcanzar

Todas las acciones que se requieren para el éxito y la felicidad son *bastante* fáciles, si las hacemos una a una. El cambio del error a la disciplina es fácil, y también lo es pasar del fracaso al éxito. Es fácil porque lo podemos hacer y siempre es fácil hacer lo que tenemos capacidad para hacer. Es posible que tengamos que trabajar arduamente en la parte de la ecuación que corresponde a la disciplina diaria, pero ejercitar nuestros talentos para abrazar el éxito y sus recompensas, es muy fácil.

Pero si es tan fácil, ¿por qué no hay más entre nosotros que lo hagan?

Porque aunque es fácil hacer lo que se requiere para el éxito y la felicidad, también es fácil *no* hacerlo.

Los peligros de la negligencia

Aquello que es fácil hacer también es fácil *no* hacerlo. La razón principal por la cual a las personas no les va tan bien como deben y pueden, puede explicarse en una palabra: negligencia.

No es falta de dinero — los bancos están llenos de dinero. No es falta de oportunidad — los Estados Unidos continúan ofreciendo las oportunidades más increíbles y abundantes que se hayan visto en país alguno durante seis mil años de historia documentada. No es la falta de libros — las bibliotecas están llenas de libros.... ¡y son gratis! No son las escuelas — las aulas están llenas de buenos maestros. Tenemos muchos sacerdotes y ministros religiosos, dirigentes, consejeros y asesores.

Todo lo que pudiéramos necesitar para convertirnos en ricos, poderosos y distinguidos lo tenemos a nuestro alcance. La razón principal por la cual muy pocos aprovechan las ventajas que tenemos es, sencillamente, *la negligencia.*

Muchos de nosotros hemos oído la expresión "Una manzana al día evita las visitas a la enfermería". Podemos debatir la validez de este dicho, pero ¿y si fuera cierto? Si con una acción sencilla — esa disciplina tan sencilla — pudiéramos ser más sanos y estar más alertas durante nuestras vidas, ¿no tendría sentido y no sería fácil comernos la manzana todos los días?

Suponiendo que esta cita sea cierta, ¿por qué no comemos una manzana al día — todos los días — para conservar nuestra salud? Si es tan fácil y esta disciplina conlleva una recompensa tan importante, ¿porqué no lo hacemos? Porque las cosas que son fáciles de *hacer* también son fáciles de *no hacerlas*. El fracaso es así de sutil. El fracaso es, en gran parte, una consecuencia de la negligencia. Dejamos de hacer las cosas pequeñas que debemos hacer y esta licencia, aparentemente insignificante, se transfiere a esas cosas que *son* importantes que hagamos. Una negligencia insignificante tiende a convertirse en un omisión de calibre después de cierto tiempo.

El abandono es parecido a una infección. Si no se controla, se extiende por todo nuestro sistema de disciplinas y finalmente lleva al desmoronamiento de una vida humana con posibilidades de ser próspera y feliz.

El no hacer lo que sabemos que *debemos* hacer nos hace sentir culpables y la culpabilidad lleva a la erosión de la confianza en nosotros mismos. Conforme disminuye esta seguridad, disminuye nuestro nivel de actividad. Conforme disminuye nuestro nivel de actividad, inevitablemente declinan nuestros resultados. Conforme sufren nuestros resultados, nuestra actitud comienza a debilitarse. Conforme nuestra actitud gira de lo positivo a lo negativo, la confianza en nosotros mismos disminuye todavía más... y sigue... y sigue... el ciclo. El no hacer las cosas que podemos y debemos hacer, resulta en la creación de una espiral negativa, que una vez que comienza es difícil de detener.

Aprenda a escuchar la voz correcta

¿Por qué estamos inclinados a hacer, con tanta frecuencia, las cosas que son las menos importantes y tan reacios a hacer las cosas esenciales que exigen el éxito y la felicidad? ¿De dónde proviene esa voz que nos dice en un susurro, "Deja que todo siga su curso. ¿Por qué te preocupas de toda esa tontería de la disciplina"? Es la voz de la *"negatividad"*, una voz que se ha fortalecido más y más durante los últimos años como resultado de la proximidad con las influencias perjudiciales, produciendo pensamientos perjudiciales, desarrollando filosofías perjudiciales y tomando decisiones perjudiciales.

Parte de la solución para silenciar esta voz de la "negatividad" es escuchar las voces calladas del éxito que residen dentro de cada uno de nosotros. La voz del éxito está en lucha continua tratando de sobreponerse a los ruidosos consejos de la voz del fracaso. Nuestra libertad personal nos permite escoger la voz que queremos seguir. Cada vez que claudicamos ante la voz de la penumbra en la vida y nos dejamos persuadir para que repitamos los errores, en vez de aprender nuevas disciplinas, se fortalece la voz de la "negatividad". Por el contrario, cada vez que escuchamos las instancias de la voz del éxito y permitimos que nos persuada que apaguemos la televisión y abramos un libro, que abramos nuestro diario y escribamos nuestros pensamientos o que usemos un momento tranquilo para ponderar hacia donde nos llevan nuestras acciones actuales, la voz del éxito responde a estas disciplinas nuevas y día a día aumentan en fuerza y volumen.

Nunca podremos eliminar totalmente la voz del fracaso que existe dentro de nosotros. Siempre estará presente, urgiéndonos a que pensemos, sintamos y actuemos en una forma que es contraria a nuestros intereses óptimos. Sin embargo, podemos silenciar de manera efectiva esta influencia/destructiva, por medio del desarrollo de una filosofía sólida y una actitud positiva para la vida y para nuestro futuro.

Es fácil crear una filosofía nueva. Es fácil tomar decisiones nuevas y mejores. Todo lo digno de valor y de recompensa que hemos mencionado en este capítulo es fácil de hacer, pero el desafío principal — lo que nos puede dejar con centavos en vez de fortunas y con baratijas en vez de tesoros — es que es igualmente fácil *no* hacerlo.

Tenemos que mantenernos atentos a las diferencias sutiles que existen entre el éxito y el fracaso y protegernos constantemente de las voces internas que nos pueden hacer repetir errores costosos, en vez de desarrollar disciplinas nuevas.

Cada uno de nosotros debe tomar una decisión consciente de tratar de alcanzar una vida buena por medio del refinamiento de nuestras ideas y del examen cuidadoso de las consecuencias que puede acarrear la acumulación de nuestros errores. No podemos permitirnos pensar que los errores no importan. *Sí importan.* No podemos permitirnos suponer que la falta de disciplina en un área pequeña de nuestras vidas no va a causar diferencia. *Sí, la causa.* Y no podemos permitirnos creer que podemos obtener todo lo que queremos tener y convertirnos en todo lo que deseamos ser sin hacer cambios en la manera como pensamos de la vida. *Tenemos que hacerlos.*

El viaje hacia la vida buena comienza con un cometido serio de cambiar cualquier aspecto de nuestra filosofía actual que pueda interponerse entre nosotros y nuestros sueños. El resto de las piezas del rompecabezas de la vida tiene poco valor si no hemos resuelto firmemente hacer algo con *esta* pieza del rompecabezas.

Todo está a nuestro alcance si leemos los libros, mantenemos los diarios personales, practicamos las disciplinas y libramos una nueva y vigorosa batalla contra el abandono. Estas son algunas de las actividades fundamentales que llevan no solamente al desarrollo de una filosofía nueva, sino a una vida nueva llena de felicidad y de logros. Cada actividad nueva y positiva debilita el dominio del fracaso y nos guía cada vez más hacia el destino que hemos escogido. Cada paso nuevo y disciplinado en dirección al éxito fortalece nuestra postura filosófica y aumenta nuestras posibilidades de lograr una vida bien equilibrada. Sin embargo, el primer paso hacia este logro meritorio implica ser el jefe de nuestra nave y el capitán de nuestra alma por medio del desarrollo de una *filosofía* personal sólida.

CAPITULO SEGUNDO

ACTITUD

Lo que *sabemos* afecta enormemente nuestras vidas, ya que lo que sabemos determina las *decisiones* que tomamos.

De la misma manera que nos afecta lo que sabemos, también nos afecta lo que *sentimos*.

Mientras que la filosofía trata primordialmente con la parte *lógica* de la vida — la información y los hábitos de razonamiento — la actitud enfoca principalmente en los puntos *emocionales* que afectan nuestra existencia. Lo que sabemos determina nuestra filosofía. Cómo nos *sentimos* acerca de lo que sabemos determina nuestra actitud.

La mayor parte de nuestra conducta diaria en nuestro mundo personal y profesional está regida por nuestra naturaleza emocional. Nuestro comportamiento está determinado por el aspecto emocional de nuestras experiencias. Los *sentimientos* que acompañan los eventos de la vida son una fuerza poderosa que puede paralizarnos en nuestro camino o inspirarnos a una acción inmediata en un día cualquiera.

Al igual que las ideas, las emociones tienen la capacidad de impulsarnos hacia una fortuna futura o hacia un desastre futuro. Los *sentimientos* que albergamos hacia las personas, nuestro trabajo, nuestros hogares, nuestras finanzas y hacia el mundo que nos rodea, moldean colectivamente nuestra *actitud*. Con la actitud correcta, los seres humanos pueden mover montañas. Con la actitud equivocada pueden ser aplastados por el grano de arena más pequeño.

Una actitud correcta es un requisito esencial para el éxito y la felicidad. La actitud correcta es uno de los fundamentos para una buena vida. Por esa razón debemos examinar constantemente nuestros sentimientos en lo que se relaciona con nuestro papel en el mundo y las posibilidades de alcanzar nuestros sueños. Nuestros sentimientos afectan nuestra actitud dominante y es nuestra actitud dominante la que finalmente determinará la calidad de nuestras vidas.

La actitud es un factor principal en la determinación del resultado de nuestras vidas. Ya que todo en la vida afecta todo lo demás, debemos hacer un estudio cuidadoso de todo y todos los que puedan ejercer un efecto negativo en nuestra actitud actual.

El pasado

Una actitud sana y madura hacia el pasado puede ser responsable de una diferencia importante en la vida de cualquiera. Una de las mejores maneras de enfocar el pasado es usándolo como *escuela* y no como *arma*. No debemos flagelarnos con los errores, las fallas, los fracasos y las pérdidas del pasado. Los eventos del pasado, tanto los buenos como los malos, son todos parte de la experiencia de la vida. Para algunos, el pasado puede haber sido un maestro severo. Pero tenemos que recordar que es necesario permitir que el pasado nos enseñe y que el *valor* de las experiencias entre a formar parte de nuestras vidas. Es *fácil* permitir que el pasado nos abrume. Sin embargo, las buenas noticias son que también es fácil permitir que el pasado nos *instruya* y aumente nuestro valor.

Parte del milagro de nuestro futuro radica en el pasado. Lecciones del pasado. Errores del pasado. Exitos del pasado. Las experiencias conjuntas de todo lo que nos ha sucedido pueden convertirse en nuestro amo o nuestro servidor. Por esta razón es tan importante recoger las lecciones del pasado e invertirlas en el futuro. Si podemos establecer ese tipo de enfoque inteligente hacia el pasado, podemos cambiar en forma dramática el curso de los próximos doce meses. Cada uno de nosotros estará en *alguna parte* durante los próximos doce meses; la pregunta que nos debemos hacer es *¿dónde?*

El desarrollo de una filosofía nueva en relación al pasado es la clave para el cambio de nuestra actitud actual. Hasta el momento en que aceptemos que no hay nada que podamos hacer para cambiar el pasado, nuestros sentimientos de arrepentimiento, remordimiento y amargura prevendrán que diseñemos un futuro mejor con la oportunidad que se nos presenta *hoy*.

La eficiencia en el uso del presente es determinada principalmente por nuestra actitud hacia el pasado. Hasta el momento en que enmendemos nuestra filosofía, no podremos reparar nuestra actitud. Además, si no podemos reparar nuestra actitud, nuestro futuro estará saturado con los mismos sentimientos de arrepentimiento, remordimiento y amargura que actualmente nos están dominando. No podemos movilizarnos hacia un futuro más brillante hasta que hayamos cerrado la puerta a la obscuridad del pasado.

El presente

Nuestro futuro mejor comienza en el momento presente. El pasado nos ha brindado un tesoro de recuerdos y experiencias y el presente nos brinda la oportunidad de usarlos sabiamente.

El presente nos da la oportunidad de crear un futuro emocionante. Pero la promesa de ese futuro exige que paguemos el precio en el presente. La oportunidad del momento presente debe ser aprovechada, o las recompensas nos serán rehusadas.

Nuestras metas y ambiciones del pasado nos están trayendo las recompensas *actuales*. Si las recompensas de hoy son reducidas, es porque nuestros esfuerzos del pasado fueron reducidos. De aquí se desprende que si los esfuerzos de hoy son reducidos, la recompensa *futura* también será reducida.

El día de hoy trae a cada uno de nosotros 1.440 minutos — 86.400 tic-tacs del reloj. Tanto los ricos como los pobres tienen las mismas 24 horas de oportunidad. El tiempo no favorece a nadie. Hoy solamente anuncia: "Aquí estoy, ¿qué vas a hacer conmigo"?

El provecho que saquemos de cada día es principalmente función de la actitud. Con la actitud debida podemos aprovechar *este* día y convertirlo en un nuevo punto de partida. Al día de hoy no le importan los fracasos de ayer ni los remordimientos de mañana. Sencillamente ofrece el mismo regalo preciado — otras 24 horas — y espera que lo aprovechemos sabiamente.

La mayor oportunidad que hoy trae consigo es la oportunidad de comenzar el proceso de *cambio*. Hoy — el *presente* — es el momento en que podemos inaugurar nuestra nueva vida. Puede ser un nuevo gobierno tomando posesión, una nueva voz en el poder. Puede ser un "cambio de ideas" — una nueva *actitud* acerca de quienes somos, lo que somos, lo que deseamos y lo que vamos a hacer. Hoy también puede ser exactamente como ayer, como el día anterior y como el día anterior... Todo es sólo asunto de *actitud*.

El futuro

Nuestra actitud hacia el *futuro* también es de gran importancia. En su obra clásica, *Lessons of History,* Will y Ariel Durant escribieron:

"Para soportar lo que *es* tenemos que recordar lo que *fue* y soñar con las cosas como *serán* un día".

Nuestra actitud *hacia* el futuro depende de nuestra capacidad para *ver* el futuro. Cada uno de nosotros tiene la capacidad inherente para soñar, diseñar y experimentar el futuro con los ojos de la imaginación. Cualquier cosa que la mente tenga capacidad de *imaginar*, también tiene capacidad de *crear*.

Al igual que el cuerpo sabe por instinto como efectuar el milagro de la *salud*, la mente sabe por instinto como crear el milagro de la *riqueza*.

Todas las cosas deben terminarse antes de poderse comenzar

El Creador completó en la mente todo lo que hay en el mundo que nos rodea, antes de comenzar su creación. Las casas donde vivimos, los automóviles que manejamos, nuestra ropa, nuestro mobiliario — todas estas cosas comenzaron con una idea. Luego, cada idea fue estudiada, refinada y perfeccionada, ya fuera en la mente o en papel, antes de clavar el primer clavo o de cortar el primer pedazo de tela. Mucho antes que la idea se convirtiera en una realidad física, la mente tenía una visión clara del producto terminado.

El ser humano diseña su propio futuro utilizando el mismo proceso. Comenzamos con una idea de cómo debe ser el futuro. Durante un período de tiempo refinamos y perfeccionamos la visión. Al poco tiempo, todos nuestros pensamientos, decisiones y actividades están trabajando en armonía para hacer una realidad de lo que hemos concluido mentalmente acerca del futuro.

Por esta razón, es tan importante tener la actitud correcta para las circunstancias pasadas y presentes. Con una actitud sana acerca del pasado y sentimientos constructivos hacia nosotros mismos y nuestras oportunidades actuales, de manera subconsciente nos dirigimos hacia la realización de nuestros sueños. Sin embargo, cuando estamos llenos de remordimientos por el pasado y preocupaciones por el presente, subconscientemente nos dirigimos hacia un futuro muy parecido al pasado que acabamos de vivir.

Los pensamientos y sentimientos que nos permitimos tener *hoy* son críticos porque ellos contribuyen a nuestro futuro. Lo que ofrezca el futuro es sencillamente un reflejo de nuestra filosofía actual y de nuestra actitud hacia la vida.

Diseñando un futuro mejor

Hay una magia emocional muy especial que ocurre al diseñar el futuro y establecer nuevos objetivos con un propósito específico en mente. Conforme vemos el futuro claramente con los ojos de la imaginación, experimentamos un nivel de emoción en anticipación del día en que todos nuestros sueños se conviertan en realidad. Entre más claramente tengamos la visión del futuro, más podremos pedir prestado de su inspiración. Esta inspiración prestada se filtra en nuestras conversaciones, nuestro nivel de energía, nuestras relaciones y nuestra actitud. Entre más nos emocionamos por nuestros sueños del futuro, más fácil es desarrollar las disciplinas necesarias y refinar nuestra filosofía. En otras palabras, nuestros sueños nos inspiran a pensar, actuar y sentir para convertirnos en exactamente la persona que debemos ser para que nuestros sueños sean una realidad.

Si somos suficientemente inteligentes para invertir nuestra experiencia del pasado y suficientemente sabios para "pedir prestadas" la emoción e inspiración del futuro, *viendo* claramente dicho futuro con los ojos de la imaginación, las experiencias pasadas y la emoción del futuro se convierten en los sirvientes de hoy. El producto terminado que prevemos guía nuestros esfuerzos actuales, y convierte el alcanzar un futuro mejor en una conclusión inevitable. Nos *tira* el futuro y nos *guía* el pasado porque hemos escogido una acción inteligente en el presente.

La habilidad especial que tenemos para invertir nuestras experiencias futuras y pedir prestada inspiración del futuro es una fuerza increíble. Las buenas noticias son — ¡cualquiera lo puede hacer! Todos tenemos la capacidad para diseñar *por adelantado* el futuro para que al llegar el nuevo día, éste sea más que lo que pudiera haber sido, sencillamente porque usamos parte de nuestro pasado y de nuestro futuro para crearlo.

El poder del futuro es una fuerza *imponente*. Lo que puede *ser* tiene el poder para impulsarnos a hacer todo lo que podemos *hacer*.

El futuro siempre tiene un precio

La promesa del futuro no es gratuita. Hay que pagar un precio por toda recompensa futura. El precio que el futuro exige de nosotros incluye disciplina, trabajo, constancia y un deseo ardiente de hacer que el futuro sea mejor que el pasado o el presente. Este es el precio del progreso, pero el precio se *facilita* al aclararse la *promesa*. Al hacerse el *fin* atractivo, nos interesamos marcadamente en los *medios*. Tenemos que ver y desear la promesa con un deseo insaciable, o el precio superará nuestros deseos y regresaremos al lugar donde estuvimos anteriormente.

Si sinceramente deseamos una vida mejor, debemos preguntarnos ¿qué vemos en nuestro futuro que esté alimentando nuestro fuego de confianza en nosotros mismos y de emoción? ¿Cuánto de ese futuro *vemos* y *creemos*, en las profundidades de nuestro ser, que vamos a alcanzar? Está suficientemente claro en nuestras mentes y nuestros corazones hacer que nos levantemos de la cama todas las mañanas y nos mantengamos despiertos hasta tarde todas las noches? Tenemos la mente tan fija en el blanco que hemos seleccionado que podemos echar a un lado cualquier obstáculo o desilusión? Estamos totalmente preparados para pasar por debajo, alrededor y a través de cualquier obstáculo que nos presente la vida, en nuestro deseo de cambiarnos y cambiar nuestras circunstancias actuales?

No podemos dirigirnos de manera *improvisada* hacia un futuro mejor. No podemos perseguir de manera *improvisada* los objetivos que nos hemos establecido. Un objetivo que se persigue de manera improvisada no es un objetivo. Visto bajo el cristal más favorable puede ser un *deseo* y los deseos son poco más que una ilusión engañosa. Los deseos son un anestésico para ser usado por los que están cortos de ambición, es un narcótico que mitiga el reconocimiento de su propia condición desesperada.

Es posible *planear* nuestro futuro tan clara y cuidadosamente que cuando el plan esté terminado, nos inspire y se convierta en nuestra "magnífica obsesión".

El desafío es dejar que esta obsesión alimente el fuego que caliente, hasta el hervor, nuestro talento y nuestras habilidades para que nos propulsen hacia un futuro totalmente nuevo.

Conforme consideramos con mayor seriedad el diseño de nuestro futuro con anticipación, derivamos un beneficio emocional inmediato. ¡El futuro es emocionante! Entre más claro veamos el futuro y más agudamente sintamos sus promesas, más positiva se tornará nuestra actitud para que podamos alcanzar nuestros sueños. Es esta nueva actitud la que nos proporcionará la reno-vación de la ambición para el progreso y la fe en que *realmente* podemos mover montañas.

Solos no podemos alcanzar éxito

Todo el mundo necesita a otras personas para ayudarle a lograr sus sueños. Todos nos necesitamos unos a los otros. En el mundo de los negocios necesitamos los mercados y las ideas de otros. En el mundo personal necesitamos la inspiración y cooperación de otros. La actitud de otras personas afecta a *cada* uno de nosotros y la actitud de cada uno de nosotros tiene la capacidad de afectarnos a *todos*.

La Promesa de Lealtad a la Bandera de los Estados Unidos y sus treinta y una palabras que repetimos frecuentemente como expresión de nuestra lealtad, comienza con "yo" y concluye con "todos". Esto es lo que constituye el alma de los Estados Unidos: Uds. y yo trabajando en conjunto para crear grandeza. Nos influenciamos y afectamos *unos a los otros* en búsqueda del éxito.

Nos convertimos en una fuerza poderosa cuando *cada* uno de nosotros comprende lo poderosos que somos *todos* y todos comprendemos lo valioso que es *cada* uno de nosotros.

¿Qué podemos hacer *todos* nosotros? Las cosas más increíbles. Podemos ir a la luna y más allá. Podemos solucionar el misterio de las enfermedades, reducir las hambrunas y el sufrimiento, aumentar y mejorar las oportunidades que existen para todos, y crear lo que aún no existe y que mejorará las condiciones de la humanidad. Podemos llevar la paz a lugares donde se libraron guerras y amistad donde reinaba la animosidad. Podemos explorar los cielos, examinar las profundidades de los océanos e investigar la creatividad y capacidad ilimitadas de la mente humana. Nada está fuera de nuestro alcance, ya que nada está más allá de nuestra imaginación, y la imaginación es el punto de partida para todo el progreso.

La contribución de *todos nosotros* es de enorme importancia para *cada* uno de nosotros. Todos nosotros en la empresa donde trabajamos, en la iglesia, en la familia y en el aula escolar estamos conectados de manera compleja unos con otros.

Nuestra actitud hacia esa interconexión que existe entre cada uno de todos nosotros y con cada uno de nosotros ejerce gran influencia en nuestro futuro. De acuerdo con lo escrito por John Donne:

"Ningún hombre es una isla por sí solo; cada hombre es parte de un continente, una parte del todo. ...La muerte de cualquier hombre me disminuye porque soy parte de la humanidad; por lo tanto, no trates de indagar por quien doblan las campanas; doblan por *ti* ".

El primer paso hacia el progreso es la apreciación de nuestro valor personal

¿Qué sucedería si forzamos a nuestras mentes a trabajar y leemos los libros, recibimos las clases y descubrimos nuevas maneras de refinar nuestra filosofía? ¿Qué sucedería si cambiamos lo que sentimos los unos hacia los otros y la apreciación de la importancia individual en nuestro destino colectivo? Si cumpliéramos con esto, ¡imagínese el efecto increíble que esta acción tendría en nuestro futuro!

La parte emocionante es que cada uno de nosotros tiene suficiente poder mental, espiritual, intelectual y creativo para convertir en realidad todo lo que hemos soñado hacer. ¡Todo el mundo lo tiene! Unicamente es necesario que estemos más conscientes de lo que ya poseemos y dediquemos más tiempo a refinarlo, para luego hacer que trabaje en nuestro beneficio.

Lo que nos evita reconocer nuestros dones y talentos inherentes es una actitud disminuida acerca de nosotros mismos. ¿Por qué vemos con tanta celeridad el valor en otros y somos tan reacios a verla en nosotros mismos? ¿Por qué estamos siempre listos a aplaudir los logros de otros y tan tímidos en el reconocimiento de los nuestros?

Podemos escoger cómo nos sentimos acerca de nosotros mismos

La manera cómo nos vemos a nosotros mismos es algo que podemos escoger, no es resultado de las circunstancias y el factor que determina cómo nos sentimos acerca de nosotros mismos yace en nuestra *filosofía* personal.

Si le preguntáramos a un grupo de personas por qué se sienten de cierta manera acerca de ciertos asuntos, probablemente descubriríamos que la razón por la cual se sienten de la manera como se sienten es porque, en realidad, no *conocen* mucho acerca de esos asuntos. Por falta de información completa, llegan a una conclusión basada en los fragmentos de información que han recibido. Con conocimientos limitados, con frecuencia toman decisiones equivocadas. Al *saber* más, podrían *pensar* mejor. En otras palabras, sencillamente un aumento de conocimientos les llevaría a conclusiones mejores.

He aquí otra parte de la ecuación: Al *saber* más, se *sentirían* mejor. ¿Por qué se sentirían mejor? Porque comenzarían a tomar decisiones mejores y basados en esas decisiones harían selecciones mejores que, a su vez, producirían resultados superiores.

Nuestra actitud es moldeada por decisiones y selecciones que hemos tomado, basándonos en los conocimientos que hemos adquirido. Imagínese a un artista que quiere pintar una obra maestra pero que tiene únicamente unos pocos colores en su paleta. Aunque tenga el deseo de crear una obra maestra, le hace falta la variedad de colores que se requiere para pintar una verdadera obra maestra. Lo mismo le sucede a los seres humanos con conocimientos limitados. Les hacen falta los "colores mentales" que se requieren para crear el cuadro completo.

Una parte en el departamento de conocimientos donde no podemos permitir que haya escasez es en el reconocimiento y consciencia de nuestro propio valor. No nos *sentimos* mejor acerca de nosotros mismos por la sencilla razón que no nos *conocemos* realmente. Porque si nos conociéramos realmente — conocer nuestras cualidades fuertes, nuestras habilidades, nuestros recursos, la profundidad de nuestros sentimientos, nuestro sentido del humor, nuestros logros individuales — nunca volveríamos a dudar de nuestra capacidad para crear un futuro mejor.

Cada uno de nosotros es un ser único. No hay nadie en el mundo exactamente igual. Somos los únicos que podemos hacer las cosas especiales que hacemos. Y lo que hacemos *es* especial.

Es posible que no recibamos galardones importantes o aclamación pública por nuestras acciones, pero con estas acciones mejoramos el mundo. Por ser lo que somos, hacemos que nuestras familias sean más fuertes, que nuestras oficinas sean más eficientes y que nuestras comunidades prosperen.

Para cambiar la manera como nos sentimos acerca de nosotros mismos tenemos que comenzar con el desarrollo de una filosofía nueva del valor de cada ser humano — incluso nosotros mismos. Casi todos estamos tan ocupados con la vida diaria que no nos detenemos tiempo suficiente para apreciar lo que hacemos en un día determinado. No tenemos apreciación de nosotros mismos sencillamente porque no tenemos un *conocimiento* real de nosotros. El conocimiento propio es una parte crítica del rompecabezas de la vida. Conforme aprendemos más acerca de lo que somos, comenzamos a seleccionar mejor y a tomar decisiones mejores para nosotros y acerca de nosotros. Tal como sugerimos anteriormente, conforme mejoran nuestras selecciones, mejoran nuestros resultados y conforme mejoran nuestros resultados, mejora nuestra actitud.

Nuestras asociaciones ejercen influencia sobre la manera como nos sentimos

Las personas con quienes elegimos asociarnos son una fuente principal de lo que sabemos y de cómo nos sentimos.

Aquellos que están en búsqueda de una vida mejor deben, constantemente, hacerse tres preguntas importantes:

PREGUNTA No. 1: ¿Quiénes están a mi alrededor?

Es beneficioso hacer un estudio, de vez en cuando, de las personas que hacen contacto con nuestras vidas a diario y pesar, mentalmente, el efecto que estos miembros de nuestro *círculo íntimo* pueden estar ejerciendo sobre nosotros. ¿Cuál es su reputación entre aquellas personas que son productivas, que tienen conocimientos y que gozan de respeto? ¿Cuál es su nivel de logros anteriores? ¿Cuán profundos son sus conocimientos? ¿Entienden el valor de la actitud, de los objetivos y del desarrollo personal? Cuántos libros han leído durante los últimos noventa días? ¿A cuántos seminarios o clases han asistido para adquirir nuevos talentos o refinar sus habilidades actuales? ¿Qué valor dan a las virtudes como cometido, persistencia, justicia, paciencia y diligencia? ¿Qué hay en ellos que hace que sus consejos, opiniones y asesoría tengan valor?

Ojalá que nuestro círculo íntimo no esté formado por personas cuyas cualidades sobresalientes sean un inventario interminable de chistes y una variedad de opiniones distorsionadas.

Los que nos pueden tocar y afectar diariamente deben inspirarnos, no esparcir las semillas de duda y desacuerdo con su pesimismo, sus quejas y sus burlas de los otros. Mantener una actitud positiva frente a los desafíos de la vida es suficientemente difícil, sin sufrir *esta* clase de influencia en nuestras vidas.

PREGUNTA No. 2: ¿Qué efecto están ejerciendo?

Esta es una pregunta legítima. ¿Hacia dónde nos están llevando? ¿Qué nos están haciendo decir? ¿Qué nos están haciendo pensar, leer, hacer? ¿Cómo están influyendo nuestra capacidad de desempeñarnos bien, de crecer y de sentirnos bien con lo que hacemos? Lo más importante — ¿En que nos están *convirtiendo*?

Es fácil permitir que las personas equívocas se cuelen en nuestras vidas. Es por esto que debemos estudiar cuidadosamente este círculo de influencia. Debemos asegurarnos con frecuencia que las voces de influencias equivocadas no invadan nuestro jardín de oportunidades, sembrando las semillas de "negatividad" y duda.

Aunque es un tema delicado, la verdad es que probablemente hemos reunido algunos amigos íntimos cuyas actitudes y costumbres perjudican nuestras oportunidades para el éxito y la felicidad.

Pueden ser personas agradables con las mejores intenciones pero si su efecto es negativo, es posible que tengamos que tomar una decisión difícil. Para protegernos contra las influencias nocivas, probablemente tengamos que alejarnos de personas que conocemos desde hace muchos años para poder desarrollar amistades más positivas y motivadoras.

PREGUNTA No. 3: ¿Es esto aceptable?

Revaluar nuestras asociaciones puede ser un asunto difícil. El progreso es muchas veces doloroso, pero también son dolorosas las consecuencias si permitimos que otras personas ejerzan influencia indebida sobre nosotros.

Algunas veces nos puede ayudar recordar que no es solamente *nuestra* actitud la que estamos tratando de proteger y alimentar, sino, también, el bienestar futuro de otros. Si somos fuertes podemos ayudar a otros a que cambien y mejoren sus vidas. Si no lo somos, la influencia de ciertas personas puede hacer que nuestro progreso sea difícil, si no lo hace imposible.

Para poder proteger nuestro futuro mejor, tenemos que tener el valor de *desasociarnos* siempre que esto sea necesario. Es posible que esta no sea una decisión *fácil,* pero puede que sea una decisión *necesaria*. Todos nos descuidamos en algunas ocasiones y las personas perjudiciales, las oportunidades perjudiciales o los pensamientos perjudiciales pueden encontrar la manera de introducirse en nuestras vidas. La clave es aprender a reconocer el efecto y dar los pasos necesarios para minimizar el efecto o eliminar la fuente.

¿Por qué una acción tan drástica? Porque la influencia negativa es demasiado poderosa y demasiado amenazante. Nunca subestime el poder de la influencia. La razón por la cual la influencia es tan poderosa es por su capacidad de *cambiarnos* y el cambio puede ser difícil de reversar, especialmente si este cambio es un cambio negativo hacia la degradación.

Al igual que el fracaso, la influencia es *sutil*. No permitiríamos que una persona nos empujara deliberadamente del trayecto que hemos establecido para nuestras vidas. Sin embargo, si no actuamos con cuidado podemos, inadvertidamente, permitir que alguien nos *empuje disimuladamente* un poquito cada día en dirección errada. Se puede ser tan efectivo con estos pequeños empujones que no nos demos cuenta de lo que está sucediendo, hasta que sea demasiado tarde y se haya causado el daño. Podemos hasta pensar que la persona que nos empuja es un amigo.

Un pequeño empujón aquí, otro pequeño empujón allá y conforme pasa el tiempo nos encontramos mirando a nuestro alrededor y preguntándonos, ¿qué estoy haciendo *aquí*? Este no es el lugar al que deseaba llegar. Terminamos gastando semanas o meses o aun *años* tan sólo tratando de regresar al camino donde *creíamos* estar antes que nuestro amigo, el de los pequeños empujones, llegará con el poder de la influencia indebida, a destruir nuestro futuro de manera sutil.

La desasociación no debe ser tratada a la ligera. Debe hacerse de manera cuidadosa y reflexiva. Pero si somos sinceros en nuestros deseos de cambiar y diseñar un futuro mejor, estamos obligados a distanciarnos de los que tienen un efecto perjudicial sobre nosotros. El precio de *no* hacerlo es, en pocas palabras, enorme.

El valor de las asociaciones limitadas

Otra opción para proteger nuestra actitud es la *asociación limitada*. No podemos, durante el resto de nuestras vidas, evitar hablarle a nuestros colegas en el trabajo o rehusarnos a visitar a ciertos familiares. Sin embargo, podemos limitar el tiempo que pasamos en la compañía de estas personas y, al hacerlo, limitamos su capacidad de influenciarnos.

Hay algunas personas con las cuales podemos pasar unos pocos minutos, pero no unas pocas horas. Hay algunas con las cuales podemos pasar unas pocas horas, pero no unos pocos días. No podemos pasar el tiempo con ellas, si al hacerlo ponemos en peligro la realización de nuestros sueños.

La influencia *excesiva* es *influencia indebida*. Algunas veces podemos evitar terminar una relación, con un amigo cuya influencia negativa nos está afectando, limitando cuidadosamente la cantidad de tiempo que pasamos con esa persona. Pero tenemos que ser muy cuidadosos hasta con una asociación limitada. Las influencias *ocasionales* son muy sutiles porque pueden tener un efecto acumulativo que es muy difícil de ver. Siempre debemos recordar que el fracaso es la acumulación lenta e imperceptible de los pequeños errores de juicio que se repiten diariamente durante un período prolongado de tiempo.

En nuestros mundos — el personal y el profesional — aproximadamente el ochenta por ciento de las personas con quienes nos asociamos — la inmensa mayoría — son responsables únicamente de un *veinte* por ciento de los resultados que alcanzamos. Por el contrario, un *veinte* por ciento — claramente una minoría — producirá el *ochenta* por ciento de los buenos resultados. He aquí un razonamiento raro pero valioso que acompaña a este hecho interesante: Es el grupo del ochenta por ciento (que solamente produce el *veinte* por ciento de los buenos resultados) el que tratará de capturar el ochenta por ciento de nuestro tiempo, mientras que el grupo del veinte por ciento (que produce el *ochenta* por ciento de los buenos resultados) recibirá solamente el *veinte* por ciento de nuestro tiempo.

El desafío aquí presente debe verse claramente. Debemos disciplinarnos para pasar el ochenta por ciento de nuestro tiempo con el veinte por ciento que nos está ayudando a producir el *ochenta* por ciento de los resultados y el *veinte* por ciento de nuestro tiempo con el ochenta por ciento que está produciendo únicamente el veinte por ciento de los resultados. Esta no es una labor fácil. Con frecuencia los que forman parte del grupo más grande son maestros en lograr acceso a aquellos que no están tratando de surgir. Tienen la capacidad, si no estamos atentos, de robarse el ochenta por ciento de nuestro tiempo valioso. Si lo permitimos, serán como el camello que introduce la cabeza por debajo de la tienda de campaña. Si no se le controla, el camello entrará poquito a poquito hasta quedar *dentro* de la tienda y muy pronto nos encontraremos *afuera*.

Los que buscan fortuna y felicidad deben llegar a conocer la manera como opera el grupo del ochenta por ciento. La mayoría son personas buenas, pero están preocupados buscando *la manera* de llegar al éxito y todavía no han capturado la importancia de *la razón de* llegar a él. No saben que las razones van en primer lugar y las respuestas en segundo lugar. No han descubierto aún que cuando la mente humana se aferra a una *obsesión* personal, no necesita un manual de instrucciones ni capacitación para saber aprovechar las oportunidades.

En este mundo de oportunidades combinadas con desafíos, hay quienes quieren saber para poder *ver* y hay aquellos que creen que *ven* aunque todavía no *sepan*.

Hay, entre la gran multitud, aquellos cuya atención al progreso y desarrollo personal ha sido descuidada grandemente. Si hubiéramos sido tan afortunados que hubiéramos descubierto oro y buscáramos unos pocos amigos íntimos con quien compartir nuestro descubrimiento, algunos de ellos seguramente nos desilusionarían.

Si les pidiéramos su ayuda y trabajo a cambio de parte de nuestra fortuna, algunos encontrarían falta y se quejarán de las condiciones de la oferta.

Algunos se quejarían de las palas baratas y de las ampollas producidas por el trabajo.

Algunos se quejarían de la distancia entre sus cómodos hogares y el sitio de la mina de oro.

Algunos se quejarían de la cantidad de impuestos que será necesario pagar una vez se termine el trabajo y de la injusticia general.

Algunos se quejarían porque otros están recibiendo más de lo justo.

Y, finalmente, otros nos condenarían por favorecer a otros amigos.

El crecimiento personal no es siempre un asunto fácil. Sin embargo, los días peores vividos por aquellos que prestan atención al desarrollo de su propia persona son mejores que los mejores días de aquellos que no lo hacen.

No podemos demorar nuestro cometido a encontrar nuestra "mina de oro" personal debido únicamente a las opiniones de las personas que consideramos amigos valiosos y merecedores, pero cuyo impacto en nuestra actitud y confianza en nosotros mismos le roba demasiado a nuestro espíritu y apaga nuestro deseo. Tenemos obligación de eliminar la influencia indebida de aquellos cuyo efecto nos perjudica. De otra manera, corremos el riesgo de perder nuestra visión debido al pesimismo de los que no comparten nuestro deseo de gozar de la vida buena.

El valor de las asociaciones ampliadas

Otra decisión que podemos tomar acerca de nuestras asociaciones y su impacto potencial en nuestros sentimientos es la *ampliación de asociaciones*. Esto quiere decir, sencillamente, que debemos encontrar personas de valor y organizar nuestras vidas para poder pasar más tiempo con ellas.

Aun una cantidad *pequeña* de tiempo puede lograr una diferencia pronunciada si este tiempo transcurre en compañía de las personas de valor — personas que educan, alientan, inspiran y nos ayudan a movilizarnos en la dirección correcta.

Es mejor pasar poco tiempo con personas que nos favorecen, que mucho tiempo con personas que nos perjudican. Al ampliar nuestras asociaciones para que incluyan más personas *de valor* y al cerrar las puertas para excluir o limitar el contacto con más personas *perjudiciales*, nos exponemos al impacto de fuentes de influencia nuevas y mejores.

Fuentes de influencia nuevas y mejores

Las fuentes de información e ideas nuevas que pueden hacer un impacto dramático en nuestra actitud están al alcance de todos. La información requerida para el éxito puede provenir de fuentes variadas. La información nos rodea y sólo tenemos que comenzar a buscarla.

Aun si no podemos hacer contacto personal con las personas de valor, siempre tenemos acceso a ellas por medio de sus palabras grabadas. Hay un tesoro de información e inspiración que todos podemos obtener en cintas para "cassettes". Estos programas grabados nos proporcionan discernimiento fresco para el establecimiento de objetivos, desarrollo de actitud, administración del tiempo, obtención de instrumentos de liderazgo, administración financiera y una multitud más de temas importantes. Al escuchar estas voces nuevas de inspiración mientras manejamos de ida y regreso del trabajo, nos daremos cuenta que nuevas semillas para el progreso entrarán en nuestras mentes y originarán pensamientos nuevos y más constructivos. Las voces de las cintas traerán más beneficio a las vidas de los que las escuchan que las voces de la radio.

Para que sean efectivas, las cintas deben ser *usadas repetidamente*. Su mensaje debe ser escuchado una y otra vez para dar a estas voces tiempo para que ejerzan su influencia sobre nosotros. La *repetición* es la madre del talento.

Encontrar nuevas voces para que nos inspiren no es asunto de talento o suerte, es asunto de actitud. Es el *estudiante* el que debe buscar al *maestro*, ya que pocas veces nos interrumpe una buena idea. El éxito viaja en dirección de aquellos que *buscan* el progreso y no hacia aquellos que necesitan o desean sus recompensas.

La actitud lo es todo

El proceso del cambio en el ser humano comienza *dentro* de nosotros mismos. Todos tenemos un potencial enorme. Todos deseamos buenos resultados de nuestros esfuerzos. La mayoría de nosotros estamos dispuestos a trabajar arduamente y a pagar el precio que exigen el éxito y la felicidad.

Cada uno de nosotros tiene la capacidad de poner nuestro potencial humano individual en acción, para llegar a los resultados deseados. Sin embargo, una cosa que determina el *nivel* de nuestro potencial, que produce la *intensidad* de nuestra actividad y que predice la calidad del *resultado* logrado, es nuestra *actitud*.

La actitud determina la cantidad del futuro que se nos permitirá ver. Decide el tamaño de nuestros sueños e influencia nuestra determinación al enfrentarnos a un desafío nuevo. Las personas pueden influenciar nuestra actitud al enseñarnos malos hábitos de razonamiento, o darnos información errada involuntariamente o proporcionarnos fuentes de influencia negativa, pero nadie puede controlar nuestra actitud a menos que voluntariamente cedamos ese control.

Nadie nos "pone bravos". *Nosotros mismos* nos ponemos bravos al ceder el control de nuestra actitud. Lo que otra persona pueda haber hecho no tiene importancia. *Nosotros* somos los que decidimos, no son ellos. Ellos sencillamente ponen nuestra actitud a prueba. Si escogemos una actitud volátil siendo hostil, celoso o sospechoso o estando bravo, hemos fracasado o reprobado la prueba. Si nos condenamos nosotros mismos creyendo que no somos merecedores, *hemos* fracasado la prueba nuevamente.

Si nos importa lo que somos, tenemos que aceptar la responsabilidad por nuestros sentimientos. Tenemos que aprender a protegernos contra esos sentimientos que tienen la capacidad de guiar nuestra actitud por el camino errado y fortalecer aquellos sentimientos que nos pueden guiar con confianza hacia un futuro mejor.

ACTITUD

Si queremos cosechar las recompensas que el futuro tiene reservadas para nosotros, debemos practicar la decisión más importante que se nos ha otorgado como ser humano y mantener el dominio total de nuestra actitud. Nuestra actitud es un bien, un tesoro de gran valor que debe ser protegido de acuerdo con su valor. Esté consciente de los vándalos y ladrones entre nosotros, que están al acecho para causarle daño o robarse nuestra actitud positiva.

Uno de los fundamentos que requiere el éxito es tener la actitud correcta. La combinación de una filosofía personal sólida y una actitud positiva acerca de nosotros mismos y del mundo que nos rodea, nos da fortaleza interior y una resolución firme que influencian todas las otras áreas de nuestra existencia...incluso la tercera pieza del rompecabezas de la vida que pasaremos a examinar.

CAPITULO TERCERO

ACTIVIDAD

Hay una historia antigua conocida como la Parábola de los Talentos. De acuerdo con el relato, el amo de una casa reunió a sus sirvientes un día y les anunció que próximamente se iría en un viaje prolongado. Antes de partir le dio a cada uno de sus sirvientes cierto número de talentos. En esos tiempos, un talento equivalía a jornales de varios años para el obrero promedio, de manera que cada talento representaba una suma substancial de dinero. A un sirviente le dio cinco talentos, a otro le dio dos y al tercero le dio un talento. Advirtió a los sirvientes que cuidaran los talentos durante su ausencia y, a continuación, partió.

Durante la ausencia del amo, el sirviente con los cinco talentos los llevó al mercado y los negoció hasta convertir los cinco en diez. El segundo hizo lo mismo, negociando y convirtiendo los dos en cuatro. El tercer sirviente, sin embargo, por ser un hombre muy cauteloso, enterró el talento que había recibido y lo enterró para protegerlo.

Con el transcurso del tiempo regresó el amo y reunió a sus sirvientes para indagar que habían hecho con los talentos que les había dado. El primer sirviente explicó la manera como había negociado inteligentemente los cinco talentos y presentó al amo los cinco talentos originales y los cinco que se había ganado. El amo le dijo al sirviente: ¡Buen trabajo! Se adelantó el segundo sirviente y dijo que él también había negociado inteligentemente y entregó al amo los dos talentos originales que había recibido y dos más. Nuevamente el amo exclamó: ¡Buen trabajo! Finalmente, el tercer sirviente se adelantó y dijo: "Temía que pudiera perder el dinero y lo enterré con gran cuidado". A continuación, entregó orgullosamente al amo el talento que le había dado para que lo cuidara. El amo observó el talento que no había sido utilizado y ordenó: "Quítale el talento y dáselo al que ahora tiene diez".

A muchas personas no les satisface el desenlace de esta historia. Al final de cuentas, no parece ser *justo* quitarle al tercer sirviente lo poco que tiene y dárselo al sirviente que tiene diez talentos. Sin embargo, recuerden que la vida no ha sido diseñada para dar recompensas en proporción directa a nuestro nivel de *necesidad*; la vida da recompensas en proporción directa al nivel de *merecimiento*. La moraleja de este relato es que cualquiera que sean los bienes que la vida nos ha entregado, ya sean uno o cien talentos, ¡tenemos la responsabilidad de hacer algo productivo con lo que hemos recibido! Así es como convertimos centavos en fortunas y obstáculos en oportunidades — utilizando todo lo que tenemos y todo lo que somos, poniéndolo a trabajar.

Tarde o temprano tenemos que convertir nuestros conocimientos y buenos sentimientos en actividad. Tal como lo demuestra claramente la parábola, entre más tengamos originalmente, más recibiremos por nuestro trabajo disciplinado. Es por esta razón que es importante comenzar con una filosofía personal sólida y la actitud correcta. Entre más sepamos y mejores sentimientos tengamos acerca de nosotros mismos y de nuestras oportunidades, mayores serán las posibilidades de lograr éxito.

Pero una conciencia agudizada y una actitud positiva no son suficientes por sí solas. Lo que sabemos y la manera como nos sentimos determina únicamente nuestro potencial para los resultados positivos. El alcanzar nuestros objetivos es finalmente determinado por nuestra *actividad*.

Podemos gozar de una filosofía bien equilibrada, de gran profundidad de carácter y de una buena actitud hacia la vida, pero si no hacemos que estas cualidades valiosas trabajen, podemos llegar a producir más excusas que progreso. Lo que sabemos y la manera como nos sentimos son factores importantes que afectan la calidad de nuestras vidas. Sin embargo, recuerde que ambos son únicamente la base para levantar un futuro mejor. Para completar el resto del cuadro se requiere *acción*.

Muchas veces nos quedamos atascados en la primera planta

Con un deseo sincero de progreso, tendremos el impulso necesario para encontrar todos los medios posibles para poner en práctica todo lo que sabemos y sentimos. Tenemos que encontrar la manera de demostrar *exteriormente* todos los valores que poseemos *interiormente*. Si esto no sucede, nuestros valores permanecerán sin ser apreciados y nuestros talentos no serán recompensados.

Las razones responsables del fracaso de algunas personas y de los éxitos de otras pueden ser desconcertantes. Algunas veces pueden parecer hasta *injustas*. Todos conocemos a personas que tienen una buena educación, la actitud correcta y un deseo sincero de llegar a ser algo. Son buenos padres, empleados honestos y amigos leales. Sin embargo, a pesar de sus conocimientos, sentimientos y deseos, continúan viviendo vidas de desesperación callada. Debían *tener* mucho más de lo que tienen, pero parecen recibir tan poco.

Por otro lado, hay quienes parecen recibir tanto y merecer tan poco. No tienen educación. Tienen una actitud pobre hacia ellos mismos y hacia otras personas y, con frecuencia, sufren de falta de honestidad y de ética. Lo único que parecen tener en común con aquellos que *debían* obtener buenos resultados pero cuyos resultados son tan pobres, es un deseo sincero de avanzar. A pesar de su escasez de virtudes, conocimientos y apreciación, estas personas parecen estar siempre en posición de ventaja.

¿Por qué es que algunas personas buenas parecen tener tan poco mientras que los deshonestos parecen tener tanto? ¿Por qué es que los traficantes de drogas y los miembros de la Mafia y el elemento criminal de nuestra sociedad se pasean en Rolls Royces mientras muchos luchan por cumplir con los pagos mensuales de sus carros compactos? Si nuestro deseo de avanzar es tan fuerte como el de ellos y si tenemos, además, las virtudes de refinamiento filosófico y emocional, ¿por qué no estamos todos en mejor posición que ellos?

La respuesta bien podría ser que no *trabajamos* para tratar de alcanzar nuestros objetivos...y ellos sí lo *hacen*. No llevamos todo lo que *somos* al mercado y lo hacemos trabajar. Ellos sí lo *hacen*. No nos quedamos despiertos hasta tarde por las noches desarrollando nuevos planes para convertir en realidad nuestros sueños y no trabajamos duramente día tras día para lograrlo. Ellos sí lo *hacen*. No aprendemos todo lo que podamos acerca de nuestra industria y nuestros mercados. Ellos sí lo *hacen*. No hacemos todos los esfuerzos posibles para estar rodeados de las mejores fuentes de influencia, para asociarnos con aquellas personas que pueden ayudarnos a alcanzar nuestros objetivos. Ellos sí lo *hacen*. Mientras *soñamos* con la promesa de nuestro futuro, ellos están *haciendo* algo para alcanzarlo. Claro está que es posible que no estén haciendo lo correcto, pero lo están haciendo de manera constante y con una intensidad y a un nivel de cometido que podría avergonzar a muchos.

El mal siempre se apresura a llenar el vacío creado por la ausencia del bien. Lo único necesario para el triunfo del mal es que las personas buenas no hagan nada y, desafortunadamente, esta inactividad es lo que escogen demasiadas personas buenas. Es nuestra falta de actividad intensa y disciplinada lo que ha permitido que el mal triunfe y muchos hombres buenos caminen por la vida dando tumbos. Si la vida parece ser *injusta* algunas veces, nosotros somos los únicos culpables.

Imaginemos lo diferente que sería nuestro mundo si nos comprometiéramos ahora mismo a poner en acción todo lo que somos actualmente, *cualquier cosa* que seamos actualmente y *cualquier cosa* que tengamos actualmente ¿Qué sucedería si diéramos un ciento por ciento a nuestro trabajo, a nuestras familias y a nuestras comunidades? ¿Qué sucedería si, comenzando inmediatamente, comenzáramos a leer los libros, a reemplazar los errores con disciplinas y a asociarnos con personas que tienen ideas estimulantes? ¿Qué sucedería si, comenzando inmediatamente, convirtiéramos nuestros sueños en planes y nuestros planes en actividades perfeccionadas que nos lleven hacia la obtención de nuestros objetivos? ¡Qué diferencia tan increíble podríamos causar! En muy poco tiempo podríamos hacer huir al mal y el bien se apresuraría a recobrar la posición que justamente le pertenece. ¡Qué vida tan buena podríamos entonces compartir con nuestras familias — una vida llena de desafíos, emoción y logros. ¡Y qué magnífica herencia dejaríamos para la próxima generación — un tesoro de virtudes, integridad y solidez para construir un nuevo mundo — y todo porque teníamos suficiente interés para *hacer* algo con nuestras vidas y para hacer trabajar a nuestros talentos y conocimientos.

Aprovechando la visión del futuro

Las Cataratas del Niágara son uno de los espectáculos más grandiosos del mundo. Miles de toneladas de agua fluyen cada hora por el río Niágara y bajan en cascada por miles de pies de rocas hasta estrellarse en las aguas revueltas de abajo. El talento humano ha logrado aprovechar la fuerza poderosa de este salto de agua y la ha convertido en una importante fuente de energía para cientos de miles de personas.

Nuestros propios sueños pueden ser tan grandiosos y poderosos como esta maravilla de la naturaleza. Pero también tienen que ser aprovechados y convertidos en una forma de energía si han de tener valor para nosotros mismos y para el mundo que nos rodea. En caso contrario, seguirán siendo sólo un espectáculo de la imaginación humana — emocionantes pero sin aprovechar.

Todos decimos que queremos lograr éxitos, pero tarde o temprano nuestro nivel de actividad debe alcanzar nuestro nivel de intención. *Hablar* de éxitos es una cosa, pero hacer que éstos sean una realidad es otra cosa completamente diferente.

Algunas personas parecen sacar más placer de *hablar* del éxito que de *lograrlo*. Es como si su canción constante de lo que pasará *algún día* les adormeciera, envueltos en un sentido falso de seguridad y, como consecuencia, no llegan a hacer todo lo que *debieran* y *pudieran* estar haciendo en un día cualquiera.

Las consecuencias de este engaño a ellos mismos acarrea un precio inevitable. Tarde o temprano llegará un día en que mirarán con remordimiento todas esas cosas que pudieron haber hecho y *pensaron* hacer pero que dejaron sin hacer. Por esa razón tenemos que forzarnos en el presente para sentir el dolor leve de la disciplina. Sufriremos uno u otro dolor — el dolor de la disciplina o el dolor del remordimiento — pero la diferencia es que el dolor de la disciplina pesa solamente onzas mientras que el dolor del remordimiento pesa *toneladas*.

Actividad. Es la aplicación de todo lo que sabemos y todo lo que sentimos, en combinación con nuestro deseo de tener más de lo que tenemos y convertirnos en más de lo que somos.

La acción es mejor que la comodidad

Si estamos participando en un proyecto, ¿cuán arduo *debe* ser nuestro trabajo en él? ¿Cuánto tiempo debemos dedicarle?

ACTIVIDAD

Nuestra filosofía acerca de la actividad y nuestra actitud acerca del trabajo duro afectará la calidad de nuestras vidas. Lo que *decidamos* en relación con la proporción correcta de trabajo y descanso establecerá cierta ética para el trabajo. Dicha ética para el trabajo — nuestra actitud referente a la cantidad de esfuerzo que estamos deseosos de comprometer para el éxito y la fortuna en el futuro — determinará si esa fortuna será substancial o escasa.

El trabajo es siempre mejor que el descanso. Cada vez que escogemos hacer menos de lo que podemos, este error de juicio surte efecto en la confianza en nosotros mismos. La repetición de este error todos los días, nos llevará no sólo a *hacer* menos de lo que deberíamos sino *a ser* menos de lo que podríamos ser. El efecto acumulativo de este error de juicio puede llegar a ser devastador.

Afortunadamente, este proceso es reversible. El día que queramos podemos desarrollar una nueva disciplina para *hacer* en vez de descuidar. Cada vez que escogemos acción en vez de comodidad y el trabajo en vez del descanso, desarrollamos un nivel superior de valor, respeto y confianza en nosotros mismos. En el análisis final, cómo nos sentimos hacia nosotros mismos es lo que proporciona la recompensa más importante de cualquier actividad. No es lo que obtenemos lo que nos hace valiosos, es en lo que nos *convertimos* en el proceso de lo que *hacemos* lo que da valor a nuestras vidas. Es la actividad lo que convierte los sueños del ser humano en realidad y es esa transformación de una *idea* en una realidad lo que nos da un valor personal que no puede provenir de ninguna otra fuente.

Todo tiene su precio y todo causa dolor, pero el precio del dolor se reduce cuando la promesa se fortalece. Para que los *medios* se saturen de una actividad intensa, tenemos que estar obsesionados con el *fin* — por la promesa del futuro. El fin no sólo "justificará" los medios; la inspiración que obtendremos de *ver* el fin claramente en nuestras mentes nos permitirá *producir* los medios.

La proporción de actividad y descanso

La vida no puede ser un proceso únicamente de trabajo sin descanso. Es importante que dejemos tiempo libre para recuperar nuestras fuerzas. La clave es llegar a una proporción razonable de descanso y actividad.

La Biblia nos ofrece esta razón o proporción: Seis días de trabajo y uno de descanso. Para algunos esta proporción puede inclinarse con exceso hacia el trabajo. En realidad hay, en nuestro país, un coro nuevo de voces que está en desacuerdo con nuestra razón *actual* de cinco días de trabajo y dos días de descanso. Estas voces desearían reducir aún más los días de trabajo y aumentar el período de descanso a por lo menos *tres* días.

Cada uno de nosotros debe escoger la proporción que mejor refleje la recompensa que buscamos, recordando que una disminución en el trabajo conlleva una disminución en las recompensas. Si descansamos demasiado, las malas hierbas se apoderarán del jardín. La degradación de nuestros valores comienza inmediatamente que comenzamos a descansar. Es por esto que debemos hacer del descanso una *necesidad* y no un *objetivo*. El descanso sólo debe ser una pausa necesaria en el proceso de preparación para atacar el próximo objetivo y la próxima disciplina.

La mediocridad es el castigo por el descanso excesivo.

El peligro de buscar los atajos hacia el éxito

Algunos de nuestros amigos nos quieren hacer creer que la afirmación positiva es más importante que la actividad. En vez de hacer algo constructivo para cambiar nuestras vidas, preferirían que nos repitiéramos ciertos estribillos que confirman que todo va por buen camino, por ejemplo: "Cada día y en toda forma voy mejorando".

Debemos recordar que la *disciplina* es un requisito para el progreso y que la afirmación *sin* la disciplina es el principio del engaño a nosotros mismos.

No hay nada malo con la afirmación, siempre y cuando recordemos dos reglas importantes. Primero, nunca debemos permitir que la afirmación reemplace la actividad. El *sentirnos* mejor no es un sustituto para *hacer algo* mejor. Segundo, lo que sea que afirmemos debe ser la *verdad*.

Si la verdad de nuestras circunstancias es que estamos en bancarrota, en ese caso la mejor afirmación sería decir: "Estoy en quiebra". Esto iniciaría el proceso de pensar, repitiéndolas con convicción, estas palabras llevarían a cualquier persona razonablemente prudente a movilizarse del descanso a la acción.

Si aquellos cuyas vidas están girando fuera de control, se enfrentaran a la realidad severa de la verdad y luego ejercieran la disciplina sobre sí mismos para *expresar* la verdad, en vez de disfrazarla con pronunciamientos falsos, el resultado inevitable sería el cambio positivo.

La realidad es siempre el mejor punto de partida. Dentro de la realidad existe la posibilidad de nuestro milagro personal. El poder de la *fe* comienza con la realidad. Si nos obligamos a decir la verdad acerca de nosotros mismos y de nuestras circunstancias, entonces la verdad *nos liberará*. Al finalmente entender y aceptar la verdad, la promesa del futuro se liberará de las cadenas del engaño que la esclaviza.

Tarde o temprano tenemos que dejar de culpar al gobierno, la planilla de sueldos, los bancos, los impuestos, nuestros vecinos, el jefe, la política de la empresa, los precios elevados, nuestros colegas, nuestro pasado, nuestros padres, el tránsito o el clima por nuestros fracasos para capturar nuestra parte de la felicidad que proviene del progreso. Una vez que lleguemos a entender la manera como *realmente* llegamos a donde estamos y a ser como somos — que las sutilezas de nuestros errores repetidos y acumulados son responsables — entonces la vergüenza de *esa* verdad final y nuestra voluntad de admitirla iniciará el proceso de cambio de los centavos a la fortuna.

El cambio comienza con una selección

El día que queramos podemos disciplinarnos para cambiarlo todo. El día que queramos podemos abrir el libro que abrirá nuestras mentes a conocimientos nuevos. El día que queramos podemos comenzar el proceso para cambiar nuestras vidas. Podemos hacerlo inmediatamente, la semana próxima, el mes próximo o el año próximo.

También podemos permanecer sin hacer nada. Podemos pretender en vez de actuar. Si la idea de tener que cambiarnos nosotros mismos nos hace sentir incómodos, podemos permanecer tal cual somos. Podemos escoger descansar en vez de trabajar, diversión en vez de educación, engaño en vez de verdad y duda en vez de seguridad. Elegir está en nuestras manos. Pero mientras maldecimos el *efecto*, continuamos alimentando la causa. Tal como dijo Shakespeare: "La falta...no está en la estrellas, sino en *nosotros mismos*".

Hemos *creado* nuestras circunstancias con lo que escogimos en el pasado. Tenemos tanto la capacidad como la responsabilidad de escoger mejor, a partir de hoy. Todos aquellos que están en búsqueda de una vida buena no necesitan más respuestas ni más tiempo para pensar las cosas una segunda vez para llegar a mejores conclusiones. Necesitan la *verdad*. Necesitan *toda* la verdad. Necesitan *solamente* la verdad.

No podemos permitir que nuestros errores de juicio, repetidos diariamente, nos guíen por el sendero equivocado. Tenemos que regresar una y otra vez a esos fundamentos que serán la diferencia principal para decidir el resultado de nuestra vida. *La actividad* es uno de esos fundamentos importantes que no podemos darnos el lujo de abandonar.

ACTIVIDAD

La necesidad de actividad inteligente

Muchos de los que buscan éxito y felicidad ya están trabajando arduamente, pero parece que no llegan a ninguna parte. El problema es que para producir los resultados deseados, nuestras actividades tienen que tener tanto *inteligencia* como intensidad. La acción sin inteligencia puede ser destructiva, pero no debemos gastar *demasiado* tiempo en el proceso de adquirir inteligencia. Todo debe hacerse en la proporción debida.

Es muy fácil confundir la moción con el progreso y el movimiento con los logros. Es por esto que la actividad debe ser planeada con deliberación, refinada cuidadosamente y ejecutada con persistencia.

La actividad debe ser planeada

Tenemos que ser suficientemente sabios para usar el día de hoy para planear para mañana. Debemos *diseñar* el futuro, no solamente soñar con él. Si nos disciplinamos para incorporar la inteligencia en nuestros planes, incorporaremos la fortuna en nuestro futuro.

Nuestro viaje hacia el éxito no puede ser igual a un paseo sin rumbo. Tenemos que seleccionar un destino específico. También tenemos que anticipar los obstáculos y los riesgos y estar listos para responder a ellos en el momento en que aparezcan.

Objetivos bien definidos son una parte esencial de cualquier plan viviente. Estos objetivos deben escribirse y deben reflejar tanto los planes a corto plazo como los planes a largo plazo. Los objetivos a corto plazo sirven de hitos a lo largo del camino. Son pequeños escalones que nos conducen a alcanzar nuestra fortuna a largo plazo y nos ayudan a mantenernos sin desviarnos durante largos períodos de tiempo.

Pero la parte más importante del planeamiento y del establecimiento de objetivos es ver con los ojos de la imaginación el objetivo principal que estamos persiguiendo. Esta es la "magnífica obsesión" que mencionamos anteriormente. Este es el verdadero centro nervioso de nuestra ambición. Esta es la fuerza motriz.

Los objetivos *principales* constituyen la fuerza invisible que tira de nosotros hacia el futuro. Por medio de nuestra actividad diaria y la disciplina proporcionamos el *empuje* que nos impulsa hacia el éxito. Sin embargo, es el sueño del logro de nuestros objetivos en el futuro lo que *tira* de nosotros día tras día y nos da fuerza para *superar* los obstáculos principales que se cruzan en nuestro camino. La parte emocionante de este proceso es que mientras más empujamos, más comienza a tirar el futuro. Conforme demostramos nuestra determinación inmutable de conquistar las fuerzas que nos limitan, de aumentar nuestra inteligencia y de alcanzar nuestro objetivo, esa vocecilla callada que llevamos dentro comienza a decir su mensaje especial y prometedor, y de esta manera *aumenta* el tirón del futuro. Conforme escuchamos esa voz con atención y respondemos instintivamente a sus instancias, el tirón se hace más fuerte y el futuro más cierto.

Un buen plan es un plan sencillo

Nuestro futuro mejor comienza con un objetivo meritorio y un plan sencillo. No podemos permitir que nuestro plan sea demasiado complejo. Muchas de las repuestas requieren tiempo para ser descubiertas. Es casi imposible planear cada detalle y anticipar cada obstáculo.

También tenemos que tener cuidado para no permitir que las opiniones ajenas influencien excesivamente el desarrollo de nuestro plan para una vida buena. Otros tendrán docenas de opiniones acerca de lo que debemos hacer, pero el plan final para el progreso debe ser *nuestro* plan. Debemos escuchar las voces que tienen valor pero debemos recordar que nadie verá nuestro plan, ni sentirá nuestra obsesión de la misma manera que nosotros. Debe ser un plan diseñado personalmente y su creador y arquitecto debe permanecer al timón de la nave durante todo el viaje.

La actividad debe ser disciplinada

Disciplina. Una palabra que hemos usado repetidamente en este libro y lo hemos hecho con buena razón. Hay una tendencia que hace que la parte negativa de nuestra vida se filtre en nuestros planes, nuestros sueños y nuestras actividades en un esfuerzo por adquirir control. Hay una tendencia que hace que el optimismo se rinda ante la duda. Hay una tendencia que hace que un plan sencillo se convierta en un plan complejo. Hay una tendencia que hace que la valentía se rinda ante el temor y que el temor abrume la confianza en nosotros mismos.

Solamente por medio de la aplicación constante de disciplina podemos prevenir que las tendencias negativas de la vida destruyan nuestro plan. Con el transcurso de poco tiempo y el logro de pequeños éxitos, podemos descuidarnos. Es por esta razón que los que vamos en búsqueda de una vida buena debemos desarrollar un nuevo sentido de apreciación de la disciplina y adquirir consciencia de todo lo que podemos hacer y todo lo que podemos tener.

Es extraordinario lo que cada uno de nosotros *puede* hacer. Las personas pueden hacer las cosas más sorprendentes, una vez que han tomado la decisión de trabajar con las disciplinas que llevan a una filosofía nueva, a una actitud nueva y a un nivel de actividad nuevo e intenso. Sin embargo, lo que las personas *hacen* es algunas veces decepcionante.

El día que queramos podemos alejarnos de lo que seamos *sin que importen* las circunstancias. Paso a paso, página por página, párrafo por párrafo, una nueva disciplina en cada oportunidad, podemos comenzar el proceso para enmendar nuestra actividad hasta el punto que *hoy* podría convertirse en el punto de partida de una vida totalmente nueva.

¡Cualquiera puede hacerlo!

Lo hacemos al diseñar un buen plan. Lo hacemos al establecer objetivos. Lo hacemos al trabajar todos los días en las cosas pequeñas que producirán una diferencia importante en la manera como vivimos nuestras vidas. Al igual que todo lo demás que requiere el éxito, es fácil desarrollar la disciplina necesaria para realizar nuestros sueños...y también es fácil no hacerlo.

El punto de partida para una actividad disciplinada

He aquí uno de los mejores lugares para comenzar a trabajar en disciplinas nuevas. Todo el mundo tiene una lista de "cosas que debería haber hecho".

"Debería haberle escrito a mi madre este fin de semana".
"Debería haberle manifestado, hace mucho tiempo, mis sentimientos".
"Debería haber llamado a ese acreedor el mes pasado y haberle dicho la verdad".
"Debería haber comenzado mi programa de ejercicios hace muchos años".

El día que queramos podemos comenzar a trabajar en los fundamentos — en cualquiera de muchas actividades pequeñas que comenzarán el proceso de la disciplina personal. La felicidad que se deriva de este pequeño logro iniciará el proceso del milagro.

La inspiración *temprana* que proviene de la práctica de las disciplinas nuevas y sencillas comenzará un proceso llamado "enaltecimiento del valor personal". No importa lo pequeña que sea la actividad, ya que es dentro de los confines de esas disciplinas obscuras pero importantes donde existen las oportunidades importantes.

Este tipo de progreso sencillo construirá una escalera que nos sacará del abismo del fracaso y descuido que en una época fue nuestra morada. Con cada disciplina hemos construido un nuevo escalón que nos permitirá salir de la obscuridad, donde los fracasados, los plañideros y los confusos y mal guiados se reúnen para compartir sus tristes relatos de las injusticias de la vida.

Es *fácil* construir la escalera pero también es fácil *no* hacerlo. La más pequeña de las disciplinas, si la practicamos diariamente, comienza un proceso increíble que puede cambiar nuestras vidas para siempre.

Si no aprendemos a aprovechar las pequeñas oportunidades que la vida nos pone al paso, nunca aprenderemos las disciplinas necesarias para ser felices y prósperos. Los *mayores* logros en la vida comienzan con el dominio de las *pequeñas* disciplinas. Los "músculos" mentales, emocionales y filosóficos que se requieren para escribir una carta, limpiar el garaje o pagar nuestras cuentas a tiempo son los mismos "músculos" que participan en la gerencia de una empresa o la administración de un departamento. Tal como dijo un profeta sabio:

"No te canses de hacer tu labor bien, pues a su debido tiempo cosecharás si no desmayas en la tarea".

No podremos gobernar la ciudad hasta que podamos gobernar nuestro espíritu.

No podremos gobernar la nación hasta que podamos gobernarnos *nosotros mismos*.

No podremos diseñar nuestro futuro hasta que hayamos rediseñado nuestros hábitos o costumbres.

No podremos aumentar nuestras recompensas hasta que elevemos nuestro nivel de actividad inteligente.

El punto de partida es dentro de nosotros mismos con el desarrollo de disciplinas nuevas. Es ahí donde el éxito *realmente* empieza, al convertirse en el amo de los detalles *pequeños* en nuestras vidas. Todas las grandes recompensas de la vida están al alcance de cada uno de nosotros, si nos disciplinamos para pasar esas etapas tempranas de crecimiento sin descuidar ninguna de las disciplinas. No podemos permitir que ninguna actividad pequeña nos robe la salud, riqueza, amistades o estilo de vida del futuro. No podemos permitir que un error de juicio nos engañe y nos haga pensar que "dejar que las cosas pequeñas se deterioren" no va a tener gran importancia. No podemos decirnos: "Esta es la única área donde voy a dejar de practicar la autodisciplina". Esta es la "única área" que iniciará el progreso de degradación de todas nuestras otras disciplinas.

Uno de los desafíos mayores a los que nos enfrentamos es la actividad sin disciplina. Tenemos que disciplinar el alcance de nuestros conocimientos, ya que podemos tenerlos en exceso o nos pueden hacer falta. Tenemos que disciplinarnos para mantener la actitud apropiada, ya que estamos rodeados de fuentes que pueden, rápidamente, causar erosión en la actitud que hemos creado con tanto esfuerzo. Debemos, además, disciplinarnos para convertir nuestros sueños en planes, nuestro planes en objetivos y los objetivos en esas pequeñas actividades diarias que nos llevarán, paso a paso y con seguridad, hacia un futuro mejor.

Finalmente, tenemos que utilizar el poder de nuestra imaginación. Tenemos que ponderar todo lo posible. Tenemos que recordarnos que para hacer lo que es *posible*, algunas veces tenemos que desafiarnos con lo *imposible*. Según las palabras de un guerrero de la antigüedad: "Es mejor apuntar a la luna y hacer blanco con la lanza en el águila, que apuntar al águila y hacer blanco en una roca".

El planeamiento, la imaginación y la actividad intensa son fuerzas potentes que tienen el poder de cambiar dramáticamente la calidad de nuestras vidas.

La actividad es una parte principal del rompecabezas de la vida. Es la fuerza que da solidez y significado a nuestra filosofía y a nuestra actitud. La actividad inteligente, planeada, intensa y continua crea energía y nos mantiene movilizándonos hacia el futuro emocionante que nuestros pensamientos y deseos ya han diseñado para nosotros.

CAPITULO CUARTO

RESULTADOS

Cualquier negocio o *actividad* personal emprendido en la estación apropiada y después del transcurso de tiempo suficiente, producirá resultados predecibles. La razón de ser de las estaciones es la *productividad*, y el propósito de nuestra actividad lo constituyen los *resultados*.

Los resultados son la cosecha producida por nuestros esfuerzos pasados. Si el agricultor ha sembrado únicamente un puñado de semillas en la primavera, no puede esperar una cosecha abundante en el otoño. De la misma manera, si una persona ha participado en una cantidad mínima de actividad en el *pasado*, no debe esperar resultados significativos en el *presente*.

Los resultados son siempre directamente proporcionales al esfuerzo. Los que descansan en la primavera no cosechan en el otoño, no importa lo grande que sean sus necesidades o sus deseos. Los resultados son las recompensas reservadas para aquellos que tuvieron la previsión de aprovechar una oportunidad previa. Si se pierde la oportunidad, no habrá recompensa.

La oportunidad de la primavera es breve. La oportunidad se acerca, llega y pasa rápidamente. No se demora ni pausa para mirar hacia atrás. La oportunidad solamente se nos presenta y aquellos que responden a su llegada con *actividad* inteligente, obtendrán la medida completa de los *resultados* deseados.

Todo lo que hacemos determina nuestros resultados futuros. Al igual que el agricultor que ara el terreno en preparación para la siembra, tenemos que trabajar en el desarrollo de una filosofía sólida. Al igual que el granjero que cuida y abona su siembra para destruir las hierbas nocivas y alimentar la semilla, tenemos que esforzarnos para desarrollar una nueva actitud. Finalmente, al igual que el agricultor que atiende su cultivo desde la madrugada hasta la puesta del sol, anticipando la cosecha en el futuro, tenemos que dedicarnos al trabajo — a la actividad diaria.

Si en el pasado nuestras labores han producido una cosecha insuficiente, no podemos hacer nada para alterar este resultado. No podemos cambiar el pasado. No podemos pedirle a la naturaleza que haga una excepción a sus reglas, no importa el hambre que tengamos. La naturaleza tampoco permitirá que pidamos un adelanto a la tierra. Lo único que podemos hacer es prepararnos para la llegada inevitable de otra primavera — otra oportunidad — y a su llegada, sembrar, alimentar y cuidar nuestro cultivo con toda la diligencia posible, recordando las consecuencias dolorosas de la negligencia pasada. Sin embargo, al *recordar* las consecuencias, no podemos permitir que éstas nos *abrumen*. Su lección debe *servirnos* y no *abatirnos*.

Durante todo el transcurso de nuestras vidas, experimentamos un número de primaveras y cosechas. Nuestra felicidad futura es raras veces el resultado de una sola cosecha. Mas bien, es el resultado de una multitud de oportunidades individuales aprovechadas o tristemente descuidadas. Nuestra felicidad se basa en el efecto acumulado de nuestra actividad anterior. Es por esto que es tan importante estudiar los resultados. Observarlos regularmente es la manera de obtener un indicador que nos muestre lo que el futuro nos tiene reservado, mientras proseguimos por el camino actual. Si los resultados actuales son satisfactorios, el futuro, probablemente, producirá la misma cosecha abundante. Si los resultados actuales no son los que deseamos, debemos, entonces, escrutinar todos los factores que pueden habernos empujado abierta o disimuladamente en dirección equivocada.

La manera de medir nuestros resultados

Los resultados de nuestros esfuerzos en el pasado pueden ser medidos de varias maneras distintas. La primera de ellas es midiendo lo que *tenemos*. Nuestros hogares, carros, cuentas bancarias, inversiones y todos nuestros otros bienes tangibles son un buen metro de nuestro progreso material.

Nuestros *bienes* reflejan un aspecto de nuestro *valor* actual. Para medir nuestro *valor*, basta con examinar nuestros *bienes*. Con esto no quiero sugerir que la única manera de medir el valor es con una lista de nuestros bienes materiales. Hay diferentes tipos de fortunas y las más importantes en la vida — felicidad, salud, amor, familiares, experiencias y amistades — siempre tendrán peso y valor superior a cualquier bien material que podamos adquirir. Sin embargo, lo que hemos acumulado con el paso de los años, como bienes materiales, puede ser un buen indicador de esfuerzos realizados en el pasado y de los resultados que son posibles en el *futuro*.

Si hemos acumulado una cantidad significativa de dinero y de otros bienes materiales, probablemente estemos bien encaminados para lograr el sueño conocido como *independencia económica*. De la misma manera, si nuestra lista de bienes es relativamente reducida, a pesar de nuestros esfuerzos durante los últimos diez, veinte o treinta años de trabajo, esto podría constituir un buen indicador que hay *algo* que requiere un *cambio*. Es posible que necesitemos hacer un cambio muy marcado en nuestro nivel de *actividad* para mejorar nuestros resultados. Es posible que tengamos que aumentar nuestros talentos, nuestros conocimientos o nuestro poder de observación para poder aprovechar mejor las oportunidades que nos brinda la vida. Tal vez necesitemos hacer ajustes a nuestra *filosofía* hacia el dinero y a nuestra *actitud* hacia los gastos.

Si no estamos satisfechos con lo que hemos logrado hasta este momento, *ahora* es el momento de arreglar el futuro. Si no cambiamos lo que *somos* en estos momentos, lo que *tendremos* siempre será lo mismo. La misma semilla sembrada por el mismo sembrador producirá, inevitablemente. la misma cosecha.

Para que cambie la *cosecha*, es posible que sea necesario cambiar de semilla, de terreno o, lo más probable, cambiar el *sembrador*. Tal vez el sembrador esté siguiendo un plan que no puede rendir resultados. Quizás el sembrador crea que debe sembrar la semilla en el verano en vez de hacerlo en la primavera. Con la llegada del invierno y al aumentar las necesidades del sembrador, es posible que lo veamos al borde del terreno árido, maldiciendo las circunstancias que evitaron que el terreno produjera la cosecha prometida. Este sería el momento ideal para que el sembrador *midiera* — evaluara las razones que hicieron que el terreno no cooperara con un plan mal concebido. Pero, en vez de medir y avaluar, el sembrador se queja y hace otra lista de las razones del dilema desafortunado en que se encuentra.

Todo lo que hemos adquirido es el resultado de los esfuerzos y los pensamientos del pasado. Recogemos sabiduría o ignorancia y nuestro futuro producirá recompensas conmensurables con lo que hemos hecho en el pasado. Necesitamos tiempo para planear, trabajar, medir, invertir, compartir, refinar nuestras actividades del pasado y aumentar nuestro inventario de conocimientos. Estas son las semillas que debemos recoger a lo largo del camino para que la calidad de nuestros resultados mejore con el paso de cada año.

Otra manera importante de medir nuestros resultados es *observando* el ser en que nos hemos *convertido*. Qué tipo de personas hemos atraído a nuestro alrededor? ¿Nos respetan nuestros colegas y vecinos? ¿Actuamos de acuerdo con nuestras creencias? ¿Tratamos de entender el punto de vista de otra persona? ¿Escuchamos a nuestros hijos? ¿Expresamos nuestra apreciación sincera a nuestros padres, nuestros cónyuges y nuestros amigos? ¿Practicamos la honestidad y la ética en nuestras transacciones comerciales? ¿Se nos conoce, entre nuestros pares, por nuestra integridad constante? ¿Todavía marchamos al son de un tambor diferente? ¿Estamos contentos con lo que somos, con la persona en que nos hemos convertido?

La persona en que nos hemos convertido es el resultado de todas nuestras experiencias pasadas, de la manera como las hemos manejado y de los cambios que hemos llevado a cabo, voluntaria o involuntariamente a través de los años. Si no estamos contentos con el ser en que nos hemos convertido, entonces tenemos que cambiar lo que *somos*. Para que cambien las cosas, *nosotros* tenemos que cambiar…éste es uno de los puntos fundamentales de la vida.

Atraemos lo que tenemos por ser la persona en que nos hemos convertido

En el diseño de un futuro mejor, el enfoque principal de nuestro plan debe ser convertirnos en más de lo que somos en la actualidad. Si no estamos contentos con los resultados cosechados hasta el momento, tenemos que comenzar con el cambio en *nosotros mismos*.

Todo lo que tenemos en la vida — lo tangible y lo invisible — es el resultado directo de quienes somos. La respuesta para alcanzar una buena vida es convertirnos en más de lo que somos en este momento para, de esta manera, poder atraer más de lo que tenemos actualmente.

Si mañana perdiéramos todo lo que tenemos, podríamos reemplazarlo fácilmente. ¿Por qué? Porque adquirimos todas esas cosas como resultado de lo que somos. Suponiendo que no hayamos cambiado, con el tiempo volveremos a atraer a nuestras vidas todo lo que perdimos. La misma aplicación de nuestros conocimientos, la misma actitud, los mismos esfuerzos y el mismo plan producirán siempre los mismos resultados.

Estos puntos fundamentales deberían ser causa tanto de alegría como de alarma. La alegría se deriva del hecho que, en el momento que queramos, podemos comenzar a hacer cambios en nosotros mismos — cambios que atraerán aún más cosas buenas a nuestras vidas. La alarma proviene del hecho que si no *hacemos* esos cambios necesarios, si no convertimos nuestros errores en disciplinas y nuestros sueños en planes bien definidos, y en actividad inteligente y constante, estaremos siempre en exactamente el mismo lugar que ocupamos ahora. Viviremos siempre en la misma casa, conduciremos el mismo automóvil, tendremos los mismos amigos, viviremos las misma experiencias y sufriremos las mismas frustraciones y los mismos trastornos que nos han aquejado siempre, ya que *nosotros* no hemos cambiado. Los resultados podrán predecirse siempre, ya que los resultados siempre son determinados por la persona en que nos estamos transformando.

Hacer más es sólo parte de la respuesta que buscamos. La respuesta verdadera es convertirnos en más de lo que somos para que nuestro potencial mayor se convierta en parte integral de todo lo que hacemos. De esta manera se mejora la vida — al mejorar *nosotros*. No podemos tener más sin transformarnos, primero, en más. Este es uno de los fundamentos.

El éxito debe atraerse, no perseguirlo

El valor de la persona es el imán que atrae todas las cosas buenas a nuestra vida. Entre mayor sea nuestro valor, mayores serán nuestras recompensas. Ya que la manera de *tener* más es *convirtiéndonos* en más, tenemos que estar en búsqueda constante de nuevas maneras de aumentar nuestro *valor*. Control de nuestras pasiones, práctica de la disciplina, planeamiento, intensidad en nuestros esfuerzos, inversión inteligente de una buena parte de nuestros resultados, desarrollo de una actitud bien equilibrada, actividad constante, acumulación de conocimientos, lectura frecuente y una filosofía personal con sentido común son ejemplos de medios para aumentar nuestro valor.

Lo que debemos perseguir es más *valor* y no más objetos valiosos. Nuestro objetivo debe ser trabajar más en nosotros mismos que en cualquier otra cosa. Al prestar atención cuidadosa a nuestra filosofía, a nuestra actitud y a nuestra actividad, estamos contribuyendo de manera positiva al ser en que nos estamos *transformando* y, en el proceso de transformarnos en más de lo que somos en estos momentos, llegar a tener más de lo que tenemos.

Nos *transformamos* y luego *atraemos*. Primero alcanzamos crecimiento personal y luego avanzamos en el campo material. Desafortunadamente, la mayoría de las personas parecen tener este plan invertido. Su filosofía es: "Si tuviera más dinero, sería una mejor persona". Esta no es la manera en que la vida ha sido diseñada. *Tener* más no nos transforma en más. Solamente aumenta lo que ya somos. Los que no pueden ahorrar unos centavos en la época de ingresos reducidos nunca podrán ahorrar cantidades mayores de sus fortunas futuras. Se necesita la misma disciplina para guardar unas monedas en un cajón que para abrir una cuenta de ahorros o manejar una cartera de valores.

La conversaciones acerca de nuestro progreso no nos llevarán muy lejos y las promesas de lo que vamos a lograr en el futuro nos servirán durante muy poco tiempo. Las promesas tienen que acompañarse poco después por acciones y *logros*. Si no se producen resultados en un período de tiempo razonable, corremos el peligro de perder la fe de otros, además del respeto hacia nosotros mismos. Podremos descubrir que aquellos que creían en nosotros ya no creen; y, al final de cuentas, tendremos sólo nuestras promesas bien intencionadas pero sin cumplir.

Vale la pena evitar una pérdida de esta magnitud. El día que descubrimos nuestras pérdidas es el día que sentimos la amargura de la negligencia. Es *ese* día cuándo, por fin, experimentamos las consecuencias agonizantes del engaño a nosotros mismos, de la procrastinación y de las promesas rotas.

¿Leeremos los libros, haremos los planes, utilizaremos el tiempo sabiamente, invertiremos una parte de lo que ganamos, perfeccionaremos nuestros talentos asistiremos a clases para obtener nuevos talentos, nos rodearemos de personas mejores para aumentar nuestras posibilidades de éxito? ¿Diremos la verdad, mejoraremos nuestra capacidad para comunicarnos, tendremos un diario personal y prestaremos atención a todas las virtudes que se requieren para el éxito? Si no hacemos esto, ¿estaremos satisfechos dejando que el tiempo se escurra entre nuestros dedos como granos de arena mientras lentamente vamos perdiendo confianza en nosotros mismos, el respeto de otros y, tal vez, hasta las pocas pertenencias y relaciones valiosas que nuestros esfuerzos del pasado han logrado atraer a nuestras vidas? ¿Seguiremos esperando pasivamente mientras nuestros sueños se desvanecen hasta convertirse en sólo recuerdos y mientras la esperanza se transforma en remordimiento?

¡Por supuesto qué no!

Las recompensas del futuro están siempre esperándonos

No hay duda que tal como pudimos soñar *una vez*, podemos volver a soñar. Tal como pudimos creer una vez, podemos volver a creer. No importa la situación en que nos encontremos en este momento, *todavía* tenemos la capacidad de cambiarlo todo.

El viaje hacia el éxito es un viaje que requiere mil pasos y comienza al leer solamente un libro o al cumplir, por fin, una promesa. Comienza al despertar nuestro espíritu dormido y este despertar lo logran los sueños de lo *que puede ser* el futuro.

El día que queramos podemos levantarnos y dar el primer paso hacia una vida nueva y mejor. Sin embargo, no debemos esperar que haya resultados únicamente por haber comenzado la actividad, pero el esfuerzo continuo y los pasos necesarios nos traerán, indudablemente, nuestras recompensas futuras.

El valor de nuevos talentos

El desarrollo de nuevos talentos es de vital importancia, si esperamos lograr progreso notable y mejorar el nivel de nuestro trabajo. Una persona puede talar un árbol con un martillo, pero le demorará treinta días hacerlo. Si aprende a usar un hacha, puede alcanzar el mismo objetivo en treinta minutos.

El trabajo y la vida se facilitan al combinar los conocimientos con nuevos talentos. El talento es el *refinamiento* de nuestra habilidad actual en combinación con la *adquisición* de nuevos talentos. Es el resultado de la investigación impulsada por la curiosidad. Es el resultado de la creatividad y la imaginación, aplicadas, de manera inteligente, a nuevos métodos. Es el producto refinado que aparece al elevar la calidad a niveles más altos. El talento es, también, la comprensión de la tarea que tenemos a mano y esta comprensión se logra con el estudio paciente y la observación seria.

El talento es lo que se requiere para que una persona llegue a ser maestro en una tarea. Es la confianza completa en la capacidad que tenemos para dominar los detalles complejos de nuestro trabajo. Es el proceso del aprendizaje. Es el resultado de la acumulación de una montaña de experiencia y la dedicación constante a mejorar las cosas.

Aquellos que gozan de la felicidad y del éxito deben convertirse primero en los maestros de tantos talentos como les sea posible, combinándolos unos con los otros para producir un talento individual y único. Con el valor total de nuestros talentos y nuestras habilidades, todo es posible.

95

El primer paso para obtener mejores resultados

La imaginación es responsable, en gran parte, hasta qué punto podemos cambiar nuestros resultados. En 1960, era tecnológicamente imposible que el hombre viajara al espacio. Sin embargo, a los diez años, un hombre salió de su cápsula espacial y caminó en la superficie de la luna. El proceso milagroso que transformó el sueño en realidad comenzó en el momento en que una voz desafió a la comunidad científica para que hiciera lo que fuera necesario para que los Estados Unidos "enviara un hombre a la luna a finales de esta década". Ese desafío despertó el espíritu de la nación y sembró la semilla de los posibles logros futuros en el terreno fértil de la imaginación. Lo imposible se convirtió en realidad con ese desafío intrépido.

¿Puede convertirse en rica una persona pobre? ¡Por supuesto! La combinación especial de deseo, planeamiento, esfuerzo y perseverancia ejerce un efecto mágico. La pregunta no es si la *fórmula* para el éxito rendirá resultados; es si la persona sabrá hacer funcionar la fórmula.

Esa es la variable que desconocemos. Ese es el desafío a que todos nos enfrentamos. Todos podemos transformarnos de lo que somos en lo que queremos ser. No hay ningún sueño imposible, siempre y cuando tengamos el coraje de creer en él.

Si pagamos el precio heredaremos la promesa

Resolver una dificultad financiera es *fácil*. Sin embargo, también es fácil *no* resolverla. Si las recompensas nos están eludiendo, tenemos que comenzar con un estudio franco de nuestros resultados.

Si los resultados no han sucedido, hay algo *malo*. La falta de resultados es sintomático de un problema que hay que estudiar y corregir. Ignorar los síntomas no es más que perpetuar la causa. Muy pocas veces se corrige un problema por sí solo. Al contrario, un problema descuidado se *intensifica*.

Aquellos cuyos esfuerzos han producido malos resultados con frecuencia tienen una lista detallada de razones para justificar su progreso deficiente. Para esas personas, los ítems en la lista no son excusas, son *razones*. Culpan a la empresa o culpan al jefe. Culpan a los impuestos. Culpan a sus padres, a sus maestros o al sistema. Algunas veces culpan hasta el *país*.

Lo cierto es que no hay nada malo con el país. Los países de Europa Oriental derribaron recientemente las barreras del comunismo para gozar de las oportunidades de los que trabajan bajo la bandera del capitalismo. Se enfrentarán a los desafíos ansiosamente por haber deseado, durante tanto tiempo, sus recompensas. Sus industrias estarán compitiendo dentro de poco con las nuestras en la fabricación de nuevos productos, para ofrecer mejores servicios y para introducir tecnologías nuevas que les producirán resultados y recompensas nuevas.

No hay escasez de oportunidades. Solamente hay escasez de personas que quieran dedicar sus esfuerzos a los fundamentos que son necesarios para alcanzar el éxito.

Verifique los resultados con frecuencia

No podemos esperar diez años para ver si nuestro plan, nuestra filosofía, nuestra actitud o nuestros esfuerzos necesitan modificación. El descuido y la demora pueden resultar costosos.

El progreso tiene que ser medido regularmente. La verificación oportuna de los indicadores clave en todas las áreas de nuestras vidas son el barómetro de un pensar responsable. La frecuencia con la que debemos verificar nuestros resultados depende de cuán lejos queramos llegar. Entre mayor sea la distancia, con más frecuencia debemos verificar el progreso. Si la distancia es el equivalente a una cuadra, el desviarnos unos pocos grados no va a resultar en gran diferencia. Pero, si tenemos los ojos fijos en una estrella lejana, una desviación de solamente un grado puede alejarnos millas del objetivo. Entre más nos demoremos en descubrir que hemos cometido un error de juicio, más difícil será volver al curso correcto. Además y de mayor consecuencia, el paso del tiempo tiende a disminuir nuestro deseo de regresar al curso correcto. Es posible que abandonemos lo poco que hemos logrado y abandonemos los sueños de lo que habríamos podido alcanzar.

Lograr progreso medible en un período razonable de tiempo

Este es el desafío más grande en la vida — lograr progreso medible en un período razonable de tiempo. Esto es lo que crea tanto el propósito como el valor en nuestras vidas.

Si vamos a enfrentarnos a este desafío con entusiasmo y con esperanzas de éxito, no podemos usar nuestras circunstancias actuales como excusa de nuestro fracaso en obtener progreso medible. Si las circunstancias dificultan el progreso, esto debe hacernos luchar más intensamente y no reducir nuestros esfuerzos.

Las dificultades que nos salen al paso tienen un *propósito especial*. Las dificultades ponen a prueba la fuerza de nuestra resolución. Si nuestro *deseo* es suficientemente fuerte, nos impulsará a buscar soluciones. Conforme invocamos el poder de la creatividad e intensificamos nuestros esfuerzos para conquistar cada problema que surge, estamos, en realidad, acelerando nuestro progreso.

Sin los desafíos que capten nuestra atención, podríamos demorar el doble en llegar a nuestro objetivo. Si el camino está abierto, tendemos a seguirlo tranquilamente, contentos con el conocimiento que el éxito está a nuestro alcance. Si el camino está lleno de escollos, sacaremos de lo más hondo de nuestro ser más ingenio, más capacidad y más fortaleza de los que creíamos tener. La conquista de estos desafíos nos lleva a un nivel más alto de confianza en nosotros mismos y esto, a su vez, nos impulsa más rápidamente hacia nuestro éxito inevitable.

Si no estamos logrando progreso medible en un período de tiempo razonable, es posible que nuestros objetivos sean muy pequeños. Es difícil sentir emoción e interés por recompensas pequeñas.

El problema también puede ser que no creemos, verdaderamente, en nuestros sueños. Es decir, no creemos en nuestra capacidad para convertirlos en realidad. En vez de que los obstáculos nos desafíen, los usamos como una oportunidad para retirarnos del enfrentamiento. Es por esto que es tan importante verificar nuestro progreso. Si no estamos logrando progreso medible en un período razonable de tiempo, es claro que hay algo equivocado ya sea en nuestros objetivos o en la ejecución de nuestros planes.

Lo que sucede, nos sucede a todos

En el análisis final, todos nos enfrentamos a las mismas circunstancias durante el curso de nuestras vidas. Algunos las usan como excusa para su falta de éxitos mientras que otros usan esas mismas circunstancias como una razón para crecer e impulsarse para obtener logros mayores.

Todos tenemos oportunidades mezcladas con dificultades. Todos tenemos períodos de enfermedad además de años de salud. Las tormentas afectan tanto a los ricos como a los pobres.

Lo que sucede, nos sucede a todos. La única diferencia es el enfoque propio que prestamos a "las cosas que suceden". La calidad de nuestras vidas no la determina lo que sucede, la determina lo que decidimos *hacer* con lo que sucede.

Hay una tendencia inherente a querer que los resultados ocurran en el momento en que los deseamos o los necesitamos. Pero la ley de la siembra y la cosecha nos dice que para cosechar en el otoño tenemos que sembrar en la primavera. Tenemos que usar el verano para ayudar a la plantas a crecer fuertes, protegiéndolas de la invasión de los insectos hambrientos y de la maleza estranguladora. Tenemos que continuar con nuestra *actividad* a pesar de nuestras necesidades actuales. La cosecha llegará, indudablemente, pero llegará a su debido tiempo.

> "Para todo hay una estación, cada propósito bajo
> el cielo tiene una estación apropiada: Tiempo
> para nacer y tiempo para morir; tiempo para
> sembrar y tiempo para recoger lo sembrado;
> tiempo para llorar y tiempo para reír; tiempo
> para lamentar y tiempo para bailar...tiempo para
> amar y tiempo para odiar; tiempo para la guerra
> y tiempo para la paz".

Los resultados no responden a las necesidades. Los resultados responden al esfuerzo...al trabajo... a la actividad. Si hemos cumplido con lo que nos corresponde hacer, los resultados *aparecerán* en un período razonable de tiempo.

El descuido intensifica los desafíos del futuro

Aunque los desafíos pueden servir una función válida al ayudarnos a alcanzar nuestros objetivos, no hay necesidad de invitarlos deliberadamente a que entren a formar parte de nuestras vidas.

Dentro de diez años estaremos en *alguna parte*; la pregunta es *¿dónde?* Este es el momento de fijar el lugar donde estaremos dentro de diez años. La vida nos presenta suficientes obstáculos sin necesidad de tratar de atraerlos.

Una de las mejores maneras de reducir nuestros desafíos en el futuro es anticipando las consecuencias de la negligencia o descuido actual. Esto se logra planteándonos cinco preguntas importantes relacionadas con nuestra atención a los fundamentos:

RESULTADOS

¿Cuántos libros he leído durante los últimos noventa días?
¿Con cuánta regularidad hice ejercicios el mes pasado?
¿Qué parte de mis ingresos invertí el año pasado?
¿Cuántas cartas escribí la semana pasada?
¿Cuántas veces he escrito en mi diario personal este mes?

Las respuestas a estas y muchas otras preguntas nos proporcionarán información de importancia vital acerca de nuestro potencial para el progreso y de las recompensas futuras. Si no podemos disciplinarnos en las cosas pequeñas, nos hará falta disciplina para aprovechar las oportunidades importantes en el momento en que surjan ente nosotros.

Cada error derrotado por la actividad disciplinada abre el camino a nuestro éxito en el futuro. Es *así* como se completa el rompecabezas de la vida — una victoria a la vez.

El valor de la confianza en nosotros mismos para determinar los resultados

Aquellos que persiguen la buena vida no deben quedar satisfechos si alcanzan solamente menos de lo que pueden ser. El hacer menos que lo óptimo tiene resultados desastrosos. Causa erosión en la confianza en nosotros mismos y disminuye nuestro valor intrínseco.

Hacer menos de lo que podemos hacer, causa inevitablemente perjuicio en nuestra actitud. Lleva a un pozo sin fondo de emociones degradantes y produce resultados desalentadores y penosos.

Hacer menos de lo que podemos hacer nos hace sentir culpables; este sentimiento de culpabilidad lleva a la preocupación y la preocupación causa dudas acerca de nuestro valor. El paso siguiente es la pérdida de confianza en nosotros mismos y con esto hemos completado el plano para el fracaso. Entre menos capaces nos sentimos, menos hacemos. Menos actividad significa menos resultados. Conforme disminuyen los resultados, se debilita nuestra actitud. Ahora comienza la espiral negativa y muy pronto nuestras vidas giran fuera de control.

¿Y cómo comenzó este proceso? Al permitirnos hacer *menos* de lo que *podríamos* haber hecho. El peso creciente de las cosas sin hacer socava *nuestra* confianza no solamente en nosotros mismos sino en las posibilidades de tener un futuro mejor.

Sin embargo, hay una solución para aquellas personas cuyas vidas se encuentran atrapadas en esta espiral negativa. Al comenzar a trabajar para mejorar nuestra *actitud*, nos colocamos en mejor posición para *actuar*. Con el aumento de actividad podemos obtener resultados nuevos. De estos resultados iniciales vuelve a surgir la confianza en nosotros mismos, y conforme aumenta la confianza en nosotros mismos nos forzamos a participar en nuevas actividades que producen resultados nuevos, que mejoran nuestra actitud todavía más. De repente, una vida que estaba girando fuera de control se convierte en una vida que se dirige hacia la fuerza que la tirará hacia el futuro. Este proceso comienza al hacer lo que sea necesario para cambiar nuestra *actitud* — el punto inicial del progreso y los logros del ser humano.

Algunas veces la mejor receta para curar una actitud débil es la *actividad*. Es posible que tengamos una actitud aceptable y necesitemos *participación* en algo para poder utilizar nuestro talento. Se ha dicho sabiamente: Es débil el que permite que su actitud controle sus acciones y fuerte quien *fuerza* sus acciones a controlar sus pensamientos". Ya sea que la receta para el éxito comience con actividad o con actitud, el paso esencial es comenzar a luchar para mejorar una u otra. Lo inaceptable es la *inactividad*, sin importar el motivo causante.

La primera acción puede ser escribir una carta muy retrasada o hacer una llamada telefónica importante pero difícil. Puede ser la compra de un diario personal o la lectura de un libro. Puede ser una acción tan sencilla como apagar el radio y prender el reproductor de cintas magnéticas para recibir el mensaje que nos proporcionará nuevo discernimiento.

Si nuestras vidas están en desorden, solamente tenemos que encontrar algo que valga la pena hacer para mejorar nuestra situación. Es posible que tengamos que hacerlo con confianza titubeante al principio. También es posible que tengamos que hacerlo a pesar de la presencia del *miedo*. Pero inevitablemente, las dudas y los temores desaparecerán cuando se haga sentir nuestro cometido inflexible a la acción. Los resultados producidos por estos actos de fe iniciales se convertirán en las bases para erigir una vida nueva.

Los resultados son más que un objetivo; son las semillas de la felicidad y de la prosperidad futuras. Todos los resultados que experimentamos — no importa cuán pequeños — son otro paso seguro hacia una vida de logros.

¿Cuán lejos debemos tratar de alcanzar?

Parece ser que todas las formas de vida de este planeta tratan de lograr su potencial *máximo*...excepto los seres humanos.

Un árbol no crece hasta la mitad de su tamaño natural y entonces decide "hasta esta altura es suficiente". Un árbol enterrará sus raíces tan profundamente como pueda. Sacará de la tierra todo el alimento que pueda, crecerá a la altura máxima permitida por la naturaleza y entonces mirará hacia abajo como para recordarnos en lo que podríamos *nosotros* transformarnos si hiciéramos todo lo que podemos.

¿Por qué es que los seres humanos — la forma más inteligente de vida en la tierra — no luchan para aprovechar su potencial al máximo? ¿Por qué nos permitimos detenernos a medio camino? ¿Por qué no estamos luchando constantemente para transformarnos en todo lo que podemos ser? La razón es sencilla. El Creador nos ha dado libertad para escoger y decidir.

En la mayoría de los casos el poder escoger es un regalo. Sin embargo, si hablamos de *hacer* todo lo que podamos con nuestra capacidad y nuestras oportunidades, el poder escoger puede convertirse más en una maldición que una bendición. Con demasiada frecuencia escogemos hacer mucho menos de lo que *podemos* hacer. Preferimos descansar bajo la sombra de un árbol que lucha por crecer, en vez de emular sus esfuerzos para alcanzar el nivel de grandeza.

Las dos opciones a que nos enfrentamos

Cada uno de nosotros tiene dos opciones definidas para decidir lo que vamos a hacer con nuestras vidas. Podemos escoger la primera opción — ser *menos* de lo que tenemos capacidad de ser. Ganar menos. Tener menos. Leer menos y pensar menos. Tratar menos y disciplinarnos menos. Esta es la opción que lleva a una vida vacía. Esta opción lleva a una vida de *recelo y timidez* en vez de a una vida de *anticipación* emocionante.

¿Y la segunda opción? ¡Hacerlo todo! Convertirnos en todo lo que podemos ser. Ganar cuánto nos sea posible ganar. Leer cuántos libros podamos leer. Dar y compartir cuánto sea posible dar y compartir. Tratar, producir y lograr cuánto nos sea posible. Todos tenemos esta opción.

Hacer o *no* hacer. Ser o *no* ser. Serlo *todo* o ser *menos,* o no ser nada.

Al igual que el árbol, para nosotros sería un desafío valioso extendernos en dirección vertical y horizontal hasta alcanzar la medida completa de nuestra capacidad. ¿Por qué no hacer todo lo que podamos, cada momento que podamos, lo mejor que podamos, por el tiempo más largo que podamos?

Nuestro objetivo final en la vida debe ser crear tanto como nos lo permita nuestro talento, nuestra capacidad y nuestro deseo. Quedar satisfechos haciendo menos de lo que podemos hacer es fallar en esta valiosa tarea.

Los resultados son la mejor medida del progreso humano. La conversación no lo es. Una explicación no lo es. Una justificación no lo es. ¡Son los resultados! Si los resultados son menos que lo que nuestro potencial sugiere que *deberían* ser, entonces debemos esforzarnos por ser más hoy de lo que éramos ayer. Las recompensas mayores están reservadas siempre para aquellos que ofrecen el mayor valor a ellos mismos y al mundo que les rodea, como resultado de la persona en que se han *transformado*.

CAPITULO QUINTO

ESTILO DE VIDA

La combinación final de nuestra filosofía, nuestra actitud, nuestra actividad y los resultados obtenidos es lo que crea el objetivo personal final que llamamos *estilo de vida*.

El estilo de vida es la manera como escogemos vivir y la manera como diseñamos nuestras vidas. Es la comprensión de la diferencia que existe entre las baratijas de la vida y los tesoros de la vida.

Muchos han aprendido a *ganar* bien pero aún no han aprendido a *vivir* bien. Es como si hubieran decidido esperar a ser ricos antes de comenzar a practicar el refinamiento o la elegancia y el buen gusto. Lo que no comprenden es que el refinamiento y el buen gusto practicados son tanto la *causa* de la riqueza, como el resultado de la riqueza.

Algunos atribuyen esta actitud mezquina hacia la vida, al hecho de tener un nivel más bajo de ingresos. Mantienen, además, que si llegaran a solucionar sus problemas económicos, podrían demostrarnos lo que es realmente la felicidad. Es obvio que no han descubierto aún que fue el no haber hallado la felicidad en el pasado lo que ha afectado sus ingresos actuales. Si continúan cometiendo este error de juicio, la falta de felicidad en el presente también determinará sus ingresos futuros. Sus circunstancias no cambiarán hasta que descubran que la felicidad es parte de la *causa* y que la riqueza es únicamente un *efecto* de la felicidad.

El estilo de vida es un reflejo de nuestra actitud y de nuestros valores

Cómo ya hemos mencionado, la manera como nos sentimos y lo que consideramos valioso son parte del proceso *mental* que finalmente determinará a quienes atraeremos para que formen parte de nuestras vidas. Si no estamos contentos con nuestras circunstancias actuales, podemos comenzar a cambiarlas, cambiando nuestra manera de pensar y lo que sentimos.

El estilo de vida es parte del mismo proceso de razonamiento. El día que queramos podemos alterar nuestro estilo de vida, si cambiamos lo que sentimos y si tomamos mejores decisiones relacionadas con lo que consideramos valioso.

Lo emocionante acerca del estilo de vida es que podemos tenerlo ahora mismo. No tenemos que esperar *hasta* que seamos ricos, poderosos o famosos para gozar de felicidad. No tenemos que postergar nuestra apreciación de las cosas finas de la vida *hasta* que hayamos alcanzado nuestras metas profesionales. Podemos vivir una vida tan feliz y gratificadora como queramos, a partir de este momento.

Cualquier persona puede dar dinero para caridad. Pero la recompensa verdadera consiste en dar de nosotros mismos y de nuestro tiempo.

Por poco más del precio de un boleto para el cine cualquier persona puede asistir a un concierto de la orquesta sinfónica. La música es tan emocionante si se escucha desde la parte posterior de la sala de conciertos durante las horas de la tarde como en un palco durante la noche de apertura.

No es necesario *poseer* un Rembrandt para apreciar el genio increíble del artista.

Una rosa roja aterciopelada, ofrecida con sinceridad, puede ser más significativa que una docena de orquídeas.

El precio de admisión para un crepúsculo maravilloso sigue siendo gratis.

No tenemos que ser ricos para vivir ricamente. Toda la felicidad y la satisfacción puede ser nuestra ahora mismo, con cambiar únicamente lo que pensamos y cómo nos sentimos hacia el estilo de vida.

El estilo de vida no es una cantidad

La cultura no es una cantidad. El refinamiento no es una cantidad. Son artes practicadas por aquellos que desean gozar de la buena vida. Para convertirnos en maestros de estas artes, la práctica debe comenzar con lo que tenemos *actualmente*.

Todos nosotros, no importan nuestras circunstancias, podemos comenzar a practicar ciertos detalles del refinamiento, en el momento en que queramos. Todos conocemos el concepto de dar una propina a los que nos sirven en los restaurantes. Sin embargo, pocos entre nosotros conocemos el origen y propósito de una propina. (En inglés la palabra "tip" corresponde a la sigla de la expresión "To Insure Promptness"). Es para asegurar servicio *rápido* y esto implica que la propina debe ser dada *antes* de recibir el servicio y no después.

La manera refinada de dar una propina en un restaurante es apartar disimuladamente a la persona que nos va a servir y dársela *antes* del servicio que esperamos y no después. Por supuesto que la propina debe ser en cantidad suficiente para asegurar que el servicio que nos presten sea mucho más que regular. Para que este acto tenga un carácter especial, podríamos agregar algunas palabras especiales, como por ejemplo: "Mis invitados esta noche son muy especiales y quiero que esta experiencia resulte lo mejor posible. Quiero pedirle que se encargue de todo y esto es algo especial para Ud.".

Este momento breve de conversación, combinado con la pequeña cantidad de dinero requerida, produce resultados increíbles. Será particularmente efectivo si las palabras llevan un tono de sinceridad y si van acompañadas de una sonrisa cálida. Esto es lo que, en realidad, es el refinamiento — encontrar la manera de vivir de manera especial. Cualquier persona lo puede hacer. Es fácil hacerlo.

También es fácil *no* hacerlo. Es fácil terminar con la comida, tolerar el servicio malo, disgustarse y arruinar una ocasión especial por no hacer, de manera fuera de lo común, las cosas pequeñas pero especiales.

El estilo de vida no es más que hacer las cosas ordinarias extraordinariamente bien. No es levantarse de la mesa y por haber recibido servicio malo, tirar dos monedas sobre la mesa y dirigir una mirada vitriólica al mozo de paso hacia la puerta de salida. Imagínense el efecto que esta conducta tendría en las personas en quienes quería causar buena impresión. Convertiría una comida que podía haber sido muy especial en una pesadilla y todo por haber dejado escapar la oportunidad de tomar un momento — e invertir un poquito de dinero — para *asegurar rapidez* (y calidad) en el servicio.

Tenemos que aprender a gastar pequeñas cantidades de dinero con refinamiento antes de poder hacerlo en el caso de grandes gastos.

El estilo de vida es un reflejo de quienes somos y lo que somos

Nuestro estilo de vida comunica un mensaje claro de lo que

somos y de la manera como *pensamos*. El estilo de vida determina hacia donde vamos, lo que hacemos y como nos sentimos una vez que llegamos al lugar. El estilo de vida determina la manera como nos vestimos, el auto que conducimos y el tipo de distracciones o entretenimiento que escogemos.

El estilo de vida es una combinación de substancia y estilo, refinamiento e intelecto y control emocional en momentos de desafío y *escape* emocional en momentos de felicidad y gozo.

Las personas que han alcanzado el éxito y aquellas que seriamente lo tratan de alcanzar, tienden a comunicar el nivel de inteligencia y refinamiento que han logrado adquirir. La manera de conducirse deja poca duda en cuanto a la intensidad de sus sentimientos hacia el desarrollo y los logros personales.

Todas nuestras acciones también comunican a otros nuestro nivel de intensidad. Lo que hacemos, lo que decimos y aun nuestra apariencia, *sugieren* nuestra actitud interna hacia la vida. Si gastamos más dinero en pastelería que en libros, esto sugiere el verdadero grado de sinceridad de nuestro deseo de progreso personal.

Ya sea que pasemos la noche con un libro, frente a la pantalla de la computadora o de la televisión, conversando con nuestros hijos o divirtiéndonos con nuestros colegas de la oficina, el estilo de vida es determinado por nuestra actitud y nuestros valores personales. Todos podemos vivir mejor. No es necesario tener dinero para cambiar nuestra manera de vivir. Se requiere una manera de pensar deliberada y una apreciación mayor de los verdaderos valores de la vida.

El estilo de vida no es una recompensa automática

El estilo de vida requiere *diseñar* maneras especiales para vivir. Es un talento que hay que dominar y no una condición que hay que perseguir. El estilo de vida significa que tenemos que encontrar nueva maneras de llevar felicidad, placer, emoción y substancia a nuestras vidas y a las vidas de nuestros seres queridos, mientras *trabajamos* en la consecución de nuestros objetivos y no una vez que los hayamos conseguido. Una existencia con más abundancia no significa, necesariamente, un estilo de vida con mayor alegría.

Muchos de nosotros soñamos con enriquecernos, con comprar una linda casa atendida por otros para tener más tiempo para divertirnos. Soñamos con ganarnos la lotería para renunciar a nuestro trabajo y salir en búsqueda de la buena vida. Soñamos con choferes que nos lleven de un lugar a otro y con sirvientes que se encarguen de nuestras necesidades para tener tanto tiempo libre como queramos para hacer lo que queramos.

La pregunta importante es: ¿qué *haríamos*? Al poco tiempo, casi todo lo que habíamos soñado hacer un día ofrecería tan poca inspiración como nuestro estilo de vida actual. Hay un límite para tanto viajes, tantas fiestas, tantos días para dormir y tanta diversión y finalmente todas estas actividades se vuelven tediosas.

Si no vamos en búsqueda de una vida de risa y diversión sin fin, entonces, ¿qué *es* lo que estamos persiguiendo? ¿Qué es esto que llamamos estilo de vida?

Es posible que todos tengamos una opinión diferente de lo que es el estilo de vida pero, espero que estemos de acuerdo en lo que no es: No es algo que *conseguimos* como resultado de tener más. El estilo de vida es el resultado de *vivir* más...vivir más plenamente, con más conciencia, con mas alegría, con más apreciación. Entre más plenamente vivamos, más haremos y nos transformaremos en más. El estilo de vida no es una remuneración por nuestro esfuerzo; es la manera de hacer que nuestro esfuerzo sea más remunerador, mas significativo y finalmente más productivo.

El estilo debe ser estudiado y practicado

Si queremos ser ricos, debemos estudiar la riqueza y si queremos ser felices, debemos estudiar la felicidad. La combinación de estos dos estudios crea el aura que llamamos estilo de vida.

La mayoría de las personas no hacen de la felicidad y de la riqueza un *estudio*. Su plan para obtener la felicidad consiste en pasar el día con la esperanza que suceda algo que les haga felices. Pero la felicidad es un arte, no un accidente. No nos cae del cielo. La felicidad — esa emoción única que de manera equivocada creemos que nos llega solamente después de haber alcanzado el éxito — debe *preceder* a los éxitos. La felicidad es tanto una *causa* del éxito como un resultado del éxito y podemos comenzar a experimentarla en el momento que queramos, sin consideración a nuestras circunstancias actuales.

Aprenda a ser feliz con lo que tiene mientras se esfuerza por lograr lo que quiere

Cada uno de nosotros puede diseñar su propia felicidad en la vida. Podemos *diseñarla* y podemos experimentarla. No tenemos que esperar. Esperar sólo prolongará la agonía de tener que soportar el servicio deficiente, el mal genio, los momentos de alegría arruinados y la continuación de la vida, tal como la hemos soportado hasta ahora.

Ese sentimiento exquisito que llamamos felicidad puede comenzar donde quiera que estemos y como quiera que seamos, ya que no tiene nada que ver con las *cosas*. Tener más no es la fórmula para la felicidad. Si necesitamos sólo dos o tres dedos para contar nuestras bendiciones, colocar un anillo de brillantes en cada dedo no va a aumentar nuestras bendiciones. Si no hemos desarrollado amistades significativas cuando tenemos pocos recursos, no vamos a tener mejor suerte encontrando o manteniendo buenos amigos el día que mejoren nuestras finanzas. La experiencia de una relación significativa con alguien que nos ha apoyado durante las épocas buenas y las malas, alguien que nos conoce y tiene sentimientos hacia nosotros que nos hacen apreciar que esa persona exista, es algo que no podemos postergar.

Hay tanta felicidad al observar a nuestros hijos aprender a montar una bicicleta de segunda mano como verlos tambalearse en una nueva. ¿Vamos a negar esa experiencia maravillosa a ellos y a nosotros solamente por no poder comprar los juguetes mejores y más caros en este momento?

La felicidad no es algo que Ud. puede retirar de la cuenta bancaria. Es algo que se obtiene de la vida y de los que nos rodean. No hay nada malo en desear más para nosotros y para nuestras familias. Sin embargo, esto no quiere decir que debamos experimentar menos de los tesoros de la vida porque tenemos *menos,* o que los apreciaremos más el día que tengamos *más.* Si no podemos aprender a ser felices con lo que tenemos ahora, entonces nunca seremos felices, no importa la buena fortuna que nos salga al paso.

Dondequiera que esté, ESTE ahí

Una de las razones principales por las cuales no encontramos la felicidad o no creamos un estilo de vida especial, es porque aún no hemos aprendido el arte de *estar.*

Mientras estamos en la casa, nuestros pensamientos están dedicados a resolver los desafíos a que nos enfrentamos en la oficina. Mientras estamos en la oficina nos preocupamos de los problemas del hogar.

Pasamos el día sin escuchar, verdaderamente, lo que otros nos están diciendo. Es posible que estemos oyendo las palabras pero no estamos absorbiendo el mensaje.

Conforme pasa el día, enfocamos nuestra atención en las experiencias del pasado o en las posibilidades del futuro. Estamos tan dedicados al día de ayer y al de mañana que no nos damos cuenta que el día de hoy se nos está escapando.

Pasamos el día en vez de sacar algo *del* día. En cualquier momento nos encontramos en otros lugares, en vez de estar *viviendo* el momento actual.

El estilo de vida nos hace aprender a *estar* — verdaderamente estar — en donde nos encontremos. Es el desarrollo de un enfoque en el momento actual para extraer de él toda la substancia y el caudal de experiencias y emociones que nos ofrece. El estilo de vida es sacar tiempo para apreciar una puesta del sol. El estilo de vida es escuchar el silencio. El estilo de vida es capturar cada momento para que se convierta en una parte nueva de lo que somos y de la persona en que nos estamos transformando. El estilo de vida no es algo que hacemos, es algo que experimentamos. No experimentaremos el arte de vivir bien si no aprendemos a *estar*.

Dejemos que la vida nos toque

Hay un mundo de diferencia entre *ir* a París y *"vivir"* París. Ir es, fundamentalmente, una actividad física; "vivir" París es un evento emocional y rico en experiencias.

Para experimentar (o vivir) la vida, tenemos que dejar que ésta nos toque. Esto no se refiere únicamente a las experiencias positivas. También tenemos que ser tocados por las tristezas y los pesares, por las pérdidas y por las añoranzas. Las emociones enriquecen nuestras vidas y crean una individualidad especial para determinar lo que somos y la manera como vivimos.

Para vivir una vida especial tenemos, primero, que convertirnos en personas especiales, conociendo una amplia gama de experiencias y emociones humanas. Solamente después de haber experimentado el espectro completo de la vida humana podemos comenzar a diseñar y a vivir una vida substancial.

Todo el progreso comienza con una *emoción*. No atraemos una vida mejor solamente *deseándola*; la atraemos adoptando las emociones que poseen los que gozan de una vida mejor.

Si queremos ser felices, comenzamos pensando, sintiendo y actuando como las personas felices.

Si queremos ser ricos, comenzamos pensando, sintiendo y actuando como las personas ricas.

Cualquier padre que lo desee puede capturar la atención y la apreciación de su familia con sus recursos *actuales*. No tiene que esperar a ser rico para descubrir y compartir la felicidad. No tiene que esperar para ser especial. No tiene que postergar la experiencia de la felicidad y el estilo de vida especial, ya que ambas cosas se encuentran a su alcance. Es más, al practicar lo que tiene al alcance, puede *extender* su alcance. Tiene que comenzar en el lugar donde está y con lo que tiene. Lo único que tiene que hacer es empapar el momento *actual* en felicidad y carácter especial.

El goce que podría compartir al sorprender a su hija con un boleto para un concierto, si eso es todo lo que puede comprar en estos momentos, puede ser tan gratificador como regalarle un automóvil de lujo. Esto es particularmente cierto si en el pasado ha regañado a su hija por su insistencia en "gastar dinero" en tonterías como los conciertos. Imaginemos al padre — la cabeza de la familia que quiere ser refinado y adinerado — arrugando un billete y tirándoselo a su hija, como expresión de desaprobación del concierto que es tan importante para ella.

Cuánto mejor sería si un día para sorprender a su hija, se saliera de su camino acostumbrado para comprarle un boleto, por anticipado, para un concierto y se lo obsequiara de una manera especial, acompañado de palabras muy especiales. Sería aún mucho más significativo si el padre comprara *dos* boletos y asistiera al concierto *con* su hija. Quizás, como un toque adicional, combinara el concierto con una cena privada en un lugar especial, con comida extraordinaria y servicio magnífico, debido a la manera como presentó la propina.

Esto es lo que constituye el estilo de vida: encontrar maneras únicas de transformar las posibilidades emocionales en experiencias significativas que estén al alcance de nuestros medios actuales.

Podemos comenzar *ahora* mismo con todo lo que podemos compartir. Ya sea que ofrezcamos nuestro tiempo, el consuelo de un hombro para llorar, una palabra de aprecio sincero o nuestra completa atención, si estuviéramos presentes y viviéramos realmente ese momento, ¡que experiencia sería!

No podemos permitir que se escapen los años o las oportunidades para crear momentos de felicidad. Si continuamos esperando hasta que tengamos los recursos para hacer las cosas *grandes* antes de aprender el arte de experimentar todo lo que la vida puede ofrecernos en estos momentos, es posible que nos demos cuenta que hemos esperado demasiado y ya es demasiado tarde.

Comencemos en el día de hoy con el proceso de crear un caudal de experiencias y recuerdos para que permanezcan en los corazones de nuestros seres queridos mucho después de haber nosotros desaparecido.

El estilo de vida es una fuente de felicidad y satisfacción disponible para todos nosotros, sin que importen nuestras circunstancias actuales. Está al alcance inmediato de cualquier persona que esté decidida a estudiarlo seriamente.

Nuestras vidas están llenas de oportunidades para experimentar un nivel más alto de felicidad, refinamiento y apreciación, lo único que se requiere es que cambiemos de manera de pensar y tomemos la decisión de comenzar a experimentarlo todo *ahora*. Conforme demostramos nuestro nuevo cometido a aprovechar en su totalidad hasta la oportunidad más pequeña que nos salga al paso, la vida se encargará que experiencias mucho mayores que todo lo que hemos soñado, se conviertan al poco tiempo en nuestra recompensa cierta.

CONCLUSION

DESARROLLANDO UN
SENTIDO DE URGENCIA

Como resumen de todo lo que hemos compartido en este libro, quizás sea correcto decir que nuestro éxito o fracaso, finalmente, depende de estas tres cosas:

Lo que *sabemos*

Cómo nos *sentimos* hacia lo que sabemos

Lo que *hacemos* con todo lo que sentimos y todo lo que sabemos.

Sin embargo, hay otro fundamento que tenemos que dominar, si verdaderamente queremos hacer cambios significativos en nuestras vidas. Este último fundamento es el adhesivo que mantiene unidas todas las piezas del rompecabezas de la vida.

Es muy posible que aun después de poner en práctica todos los principios que hemos planteado en este libro, algunas personas no lleguen a alcanzar sus objetivos. A pesar de todos sus esfuerzos para refinar su filosofía, para desarrollar una actitud que conduzca al éxito, de mejorar y aumentar sus talentos, de estudiar sus resultados, y de vivir un estilo de vida especial, el sueño de lo que quieren ser, ver, tener y experimentar no se convierte en realidad.

¿Por qué es que algunos que parecen actuar seriamente al efectuar estos cambios siguen caminando en círculos en vez de progresar? Por qué es que algunos que han sembrado no siegan una cosecha abundante?

La zona confortable del ser humano

Tal vez parte de la respuesta a estas preguntas sea que por tener *tanto* tenemos tendencia a quedar satisfechos con muy *poco*.

Casi todo el mundo tiene un lugar donde vivir, teléfono, televisión, automóvil y una fuente de ingresos. Tenemos ropa para cubrirnos y alimentos para comer. Al poder satisfacer nuestras necesidades básicas, tendemos a ubicarnos en un lugar peligroso que llamaremos "las zona confortable". Nos hace falta el sentimiento abrumador de la desesperación o la fuerza increíble de la inspiración para impulsarnos. Es posible que muchas veces queramos más, deseemos más, pero no tenemos la necesidad o el deseo ardiente para hacer lo que hay que hacer para tener más.

El aspecto más peligroso de la zona confortable es que parece afectar nuestro sentido del oído. Entre más cómodos estemos, menos atención prestamos al reloj de la vida. Por creer que tenemos mucho tiempo por delante, por ignorancia malgastamos el momento actual. Usamos el presente para divertirnos en vez de utilizarlo para prepararnos.

Aquellos que viven en la zona confortable aparentemente han desarrollado una filosofía extraña acerca de la inmortalidad humana: "Tengo todo el tiempo necesario para llegar al éxito. Me queda mañana... la semana próxima... el mes próximo... el año próximo. No hay motivo para preocuparnos. No hay necesidad de hacer nada, inmediatamente, para lograr el cambio. Al final de cuentas, las cosas no van a ser siempre iguales a lo que son...*para esta época el año próximo* mi situación habrá cambiado".

Por esa razón, hoy en día y en este momento, aquellas personas que están llenas de buenas intenciones y que desean mejorar sus circunstancias, siguen contentos con las cosas tal como son. Hoy va ser un día para el descanso, para hacer más planes, para ver televisión o para hacer un acopio de energía para la ofensiva — que iniciaré mañana — en contra de la mediocridad.

"Mañana me levantaré temprano, trabajaré hasta tarde en la noche, invertiré todo mi talento y todos mis recursos en el proyecto que, sin duda alguna, producirá un cambio dramático en la vida". Estas son las palabras de la persona con buenas intenciones, pero sin un sentido de urgencia. "El mes pasado leí tres libros, creo que voy a descansar este mes. Trabajé arduamente esta semana, creo que mañana me dedicaré a descansar. Probablemente, hoy debería hacer esa llamada que tengo pendiente...pero, que importa un día más. Llamaré mañana".

Pequeños errores de juicio, repetidos día tras día...

Hoy es el ayer de mañana

El problema con esperar hasta mañana es que el mañana, al llegar... se llama *hoy*.

Hoy es el *ayer* de mañana. La pregunta es, ¿qué hicimos con *su* oportunidad? Con gran frecuencia malgastaremos el día de mañana de la misma manera que malgastamos el día de ayer y estamos malgastando el día de hoy. Todo lo que podríamos haber logrado puede eludirnos fácilmente, a pesar de nuestras intenciones, hasta que descubramos — y esto es inevitable — que las cosas que *habrían podido ser* se han escapado de nuestra existencia, día malgastado tras día malgastado.

Cada uno de nosotros debe, frecuentemente, hacer una pausa

para recordarse a si mismo que el reloj no se detiene. El mismo reloj que comenzó a marcar el tiempo en el instante en que nacimos se parará algún día.

El tiempo es el gran igualador de la humanidad. Se ha llevado de esta vida a los seres más virtuosos y a los menos virtuosos, sin respetar sus virtudes o la carencia de ellas.

El tiempo nos ofrece oportunidades, pero nos exige un sentido de urgencia.

El "Aviso de los Dos Minutos"

Es interesante observar un partido de fútbol americano un domingo por la tarde. Durante los primeros cincuenta y ocho minutos, cada uno de los equipos sigue el plan que *creía* que le llevaría a la victoria. Entonces sucede algo extraordinario. Uno de los árbitros camina hacia el centro de la cancha de juego y anuncia lo que se conoce como: "El Aviso de los dos Minutos".

Lo que sucede durante los ciento veinte segundos que siguen al anuncio es increíble. Con frecuencia, esos dos minutos concentran más intensidad, más destreza, más energía y más acción que las demostradas durante los cincuenta y ocho minutos anteriores.

¿Por qué?

Es el reconocimiento súbito de la derrota inminente y el nacimiento de un sentido agudo de urgencia. Los participantes saben que el reloj no tiene favoritos. El reloj hará lo que está diseñado para hacer — indicar los segundos que pasan hasta que llegue el final del partido.

El equipo que se encuentra al borde de la derrota puede haber demostrado un nivel extraordinario de destreza e intensidad durante el partido. Tenía el *potencial* y la *oportunidad* de superar el número de goles de su oponente durante las etapas *tempranas* del partido. Sin embargo, muchas veces, a pesar de las buenas intenciones, los jugadores hacen un esfuerzo limitado y tratan de corregir esta situación cuándo ya es *demasiado* tarde. Muchas veces, el sonido del pito que anuncia los últimos dos minutos de juego no es más que una formalidad que anuncia la derrota inevitable e irreversible.

Lo mismo sucede con la vida de los seres humanos. Los segundos se convierten en minutos, los minutos en horas, las horas en días y, una mañana, al despertarnos, descubrimos que el momento de aprovechar las oportunidades pasó de largo. Nuestros últimos años transcurren mientras revivimos en nuestra imaginación los sueños de lo que habría podido ser y lamentándonos de lo que no alcanzamos y ya no alcanzaremos.

Al terminarse el partido de la vida, no tenemos una segunda oportunidad para corregir nuestros errores. Al reloj que marca los momentos de nuestra vida no le interesan los vencedores y los perdedores. No le interesa ni los que tienen éxito y ni los que fracasan. No le interesa las excusas, la justicia o la igualdad. Lo esencial es la manera como jugamos el partido de la vida.

Cualquiera que sea la edad actual de una persona, hay un sentido de urgencia que debe impulsarlo a la acción *ahora* — en este momento. Constantemente debemos tener conciencia del valor de cada momento de nuestras vidas — momentos que parecen tan insignificantes que desaparecen y su pérdida muchas veces pasa desapercibida.

Todavía tenemos el tiempo que necesitamos. Todavía tenemos muchas posibilidades…muchas oportunidades…muchos años para demostrar lo que somos capaces de hacer. Para la mayoría de nosotros *habrá* un mañana, habrá un futuro. Sin embargo, si no desarrollamos un sentido de urgencia, esos momentos fugaces para aprovechar las oportunidades serán tristemente malgastados al igual que malgastamos las semanas, los meses y los años pasados. *No hay* tiempo sin fin.

Aprenda a ver, por adelantado, una imagen del futuro

Si pudiéramos captar en nuestra mente una imagen de lo que

será el futuro, basándonos en la dirección en que hoy nos dirigimos, es posible que tomáramos una actitud más seria en nuestras vidas. El relato que aparece a continuación ilustra, de manera dramática, las consecuencias de la falta de un sentido de urgencia.

Un hombre estaba sentado en un bote pequeño en el Río Niágara. Las aguas estaban mansas, la brisa era leve y el sol brillaba en un cielo sin nubes. El hombre había empujado el bote de la ribera, pero se encontraba a pocos metros de ella. No existía motivo de preocupación. Luego de poner la carnada en el anzuelo y lanzar el sedal, la mente le comenzó a divagar y la corriente arrastró el bote.

Al principio el bote navegaba lentamente a la deriva, empujado por la corriente suave y con un movimiento imperceptible. Sin embargo, todas las corrientes van hacia un punto o destino determinado y todo lo arrastrado por ellas — si no se corrige el rumbo — llegará al mismo destino, como si fuera la víctima de una fuerza invisible.

Absorto en sus pensamientos de ese momento, el pescador no notó la velocidad creciente a que la corriente arrastraba el bote. Sus pensamientos estaban concentrados en la pesca, al igual que habían estado concentrados durante toda la semana, anticipando este momento de placer y de descanso. Más tarde pensaría en cosas serias. Por lo menos por un rato continuaría tranquilo, disfrutando del momento e ignoraría los desafíos de la vida mientras navegaba a la deriva.

De repente un sonido a la distancia le hizo volver a la realidad. Un sonido a la distancia que en un parpadear se convirtió en un estruendo ensordecedor, al mismo tiempo que las aguas enfurecidas estremecían el bote.

Al mirar hacia las riberas del río notó que éstas se habían alejado. El bote no tenía motor y, además, el pescador había traído únicamente un remo pequeño. Un viaje de pesca no parecía requerir motor ni un par de remos sólidos.

El pescador trató de comprender lo que había sucedido, ya

que había sido transportado de la calma, la serenidad y la seguridad de un ambiente a unas circunstancias turbulentas que no podía controlar.

En un segundo captó la realidad de las circunstancias. El sonido ensordecedor, la espuma de las aguas, la bruma que se levantaba y la rapidez incontrolable del bote pintaron un cuadro instantáneo de las circunstancias espantosas a que se enfrentaba. Había salido a pescar en su bote en el Río Niágara y la corriente los había arrastrado hacia el borde de las cataratas.

Por su mente pasaron miles de pensamientos y de emociones. ¡Si hubiera prestado atención a la corriente y pensado en las consecuencias! ¡Si hubiera traído un motor —por si acaso! ¡Si me hubiera dado cuenta antes o si hubiera…!

No fue hasta este momento que el pescador notó la muchedumbre que se había estado reuniendo en ambas riberas, conforme se había regado la noticia que un bote se dirigía hacia el desastre ineludible. Es posible que los que sabían cual iba a ser el desenlace quisieran ayudar, pero cualquier intento para rescatar a esta criatura de su situación desesperada solamente pondría en peligro la seguridad del que lo intentara. Algunos, haciendo esfuerzos inútiles, trataron de lanzarle una cuerda o estirar ramas de árboles pero la mayoría, paralizados en silencio, fueron testigos de una tragedia que no tenía razón de ser y que habría podido evitarse.

En un momento fugaz, el pescador vislumbró la sentencia inevitable que era el resultado de su descuido personal. Se había convertido en una víctima de su falta de atención a los detalles que le rodeaban, en un ambiente que tenía la capacidad de acabar con su existencia, con sus oportunidades, con sus habilidades y que podía destruir todos sus sueños en un instante.

Su últimos pensamientos trataron de imaginar la manera de evitar esta situación, si tuviera otra oportunidad. Sus pensamientos se atropellaban en la mente con la misma rapidez de las aguas en las cataratas, estrellándose contra las rocas a miles de pies de distancia.

Si hubiera podido gozar de una segunda oportunidad, habría visto, con los ojos de la imaginación, el desastre que le asechaba. Lo habría visto claramente antes que se convertiera en una realidad inescapable. Habría *anticipado* las consecuencias de su descuido. Habría anticipado la imagen de la espuma, el sonido de las cataratas, notado el aumento en la velocidad a que avanzaba el bote y habría actuado con celeridad, acercando el bote al amparo y seguridad de la ribera.

Si hubiera podido ser rescatado de las aguas en vez de ser consumido por ellas, habría dado más valor a su talento, a sus oportunidades y a su tiempo. No habría permitido que los pensamientos frívolos capturaran su atención ni habría permitido que sus deseos de descanso y relajamiento opacaran su enfoque en la necesidad de trabajar intensamente y alcanzar progreso medible.

Desafortunadamente, se le acabó el tiempo.

Examinemos hacia donde nos lleva la corriente

Lo mismo sucede con nuestras vidas. Todos, en este momento mismo, nos dirigimos en una dirección. Lo único que podemos determinar con cierto grado de exactitud es hacia donde nos lleva la corriente. La gran incógnita es si queda suficiente tiempo en nuestro reloj personal para cambiarla.

Para algunas personas, sus acciones pasadas han determinado un rumbo que amenaza con aprisionar el futuro pero, sin embargo, no toman acción inmediata para corregir la situación. Permiten que el descuido continúe al mismo paso. Permiten que el deseo de diversión supere el apetito por la educación. En vez de buscar el buen camino, se pierden. Están inclinados a creer que sus pequeños olvidos o errores de juicio no tienen, en realidad, mucha importancia. Todavía no han aprendido que todo afecta todo lo demás y que sus acciones de hoy están creando las consecuencias de mañana. Sus acciones descuidadas y sus pensamientos sin rumbo están consumiendo su recurso más valioso — *el tiempo*. Es por creer que tienen *tanto* tiempo que permiten que los momentos individuales se escapen desapercibidamente y se acumulen hasta llegar a ser años vacíos.

Nuestra filosofía es que debemos movilizarnos hacia una condición específica en el futuro. Nuestra actitud actual, nuestro nivel de actividad y nuestros resultados son condiciones presentes. Nuestro estilo de vida actual nos alienta a buscar nuevos grados de experiencias emocionales, o nos susurra que esperemos hasta alcanzarlo todo.

Lo que somos y *cómo* somos debe ser examinado no sólo a la luz de nuestros objetivos sino con una conciencia clara del paso del tiempo. Es posible que únicamente nos queden algunos años. Tal vez sean unos pocos meses. Sin embargo, ¿no tendría sentido dedicar el tiempo que nos queda a hacer algo edificante, en vez de esperar pasivamente a que el tiempo siga su curso inevitable?

La vida no es una práctica

El tiempo para la práctica terminó al acabar la niñez. La práctica la debimos adquirir mientras crecíamos, mientras estábamos en la escuela.

Ahora somos participantes en el partido de la vida y nuestro oponente es la mediocridad humana. Si no existe la actividad humana intensa e inteligente, la maleza del fracaso crecerá hasta destruir la pequeña cantidad de progreso que hemos creado con nuestros esfuerzos. No podemos esperar "el aviso de los dos minutos". No podemos esperar hasta el último momento para descubrir que nuestro plan para el partido no está rindiendo resultados. No podemos esperar hasta los últimos golpecitos del reloj para adquirir la intensidad que nos haga aprovechar las oportunidades de la vida.

Tenemos que desafiarnos ahora mismo con un nuevo nivel de razonamiento e impulsarnos a un nuevo nivel de logros.

Tenemos que imponernos disciplinas nuevas y desarrollar una nueva actitud hacia la vida para que esta actitud nos motive a *nosotros mismos* e inspire a *otros*.

No podemos seguir esperando que aparezca la oportunidad perfecta, antes de forzarnos nosotros mismos a trabajar seriamente. Tenemos que identificar las oportunidades del presente y capturarlas. Tenemos que darles el aliento de vida de nuestro talento, de nuestro vigor, de nuestro sentido de urgencia y de esta manera descubriremos todo lo que podemos *ser*.

No podemos permitirnos el lujo de concentrarnos en los riesgos que existen en las oportunidades. Al contrario, debemos aprovechar la oportunidad que es parte inherente de todo riesgo, sabiendo que muchas veces es necesario correr el riesgo de ir *demasiado* lejos para descubrir hasta donde *podemos llegar*.

★ ★ ★

¡*Ud.* puede hacerlo! Ud. puede cambiar su vida y puede iniciar este cambio ahora mismo, desarrollando un sentido nuevo de urgencia.

Recuerde que el reloj no se detiene. Ud. tiene la capacidad de lograr lo que quiera, siempre y cuando comience el proceso *ahora mismo*.

Es *fácil* alcanzar el éxito y la felicidad. Sin embargo, también es fácil *no* alcanzarlos.

El resultado final de *su* vida será determinado por el número de errores de juicio que Ud. haya cometido — repetidos diariamente — o si Ud. dedicó su vida a unas pocas disciplinas simples — repetidas diariamente:

La disciplina para fortalecer y ampliar su *filosofía*.

La disciplina para desarrollar una *actitud* mejor.

La disciplina para practicar una *actividad* más intensa y constante que lleve a lograr *resultados* mejores.

La disciplina para estudiar sus resultados para anticipar el futuro de manera más objetiva.

La disciplina para vivir su vida más plenamente y para invertir sus experiencias en un futuro mejor.

Estos son los desafíos a los que Ud. debe aplicar su talento y su intensidad con un sentido de urgencia y resolución inmutable.

Deseo que las piezas del rompecabezas de *su vida* encajen con facilidad y que pueda Ud. gozar de esa obra maestra, como resultado de su cometido firme a aprender y dominar los fundamentos.

Permita que sus esfuerzos y resultados hagan que aquellos que algún día se reunirán para juzgar su existencia digan únicamente una frase sencilla...

Bien hecho, buen y fiel servidor.

MAS INSPIRACION DE JIM ROHN

CASSETTES DE AUDIO

El Poder de la Ambición (6 cintas)
Seminario: El Reto para Triunfar (6 cintas)
El Arte de la Vida Excepcional (6 cintas)
Tome las Riendas de su Vida (6 cintas)
El Seminario de Fin de Semana (12 cintas y
Cuaderno de Estudio)
Cómo Usar el Diario (2 cintas)

VIDEOS

Cómo Tener el Mejor Año de Su Vida
(4 videos; 5 horas)
Las Tres Claves para la Grandeza
Guía para los Adolescentes (1 video)

LIBROS

El Tesoro de Citas: Edición Limitada
El Tesoro de Citas
Las Cinco Piezas Principales del Rompecabezas de la Vida
Las Estaciones de la Vida
Siete Estrategias para la Riqueza y la Felicidad
Cuaderno de Estudio: El Reto para Triunfar

Pedidos por correo, teléfono o fax
**Para pedidos de productos, programación de seminarios o
presentaciones empresariales, por favor comuníquese con:**

JIM ROHN LATIN AMERICA
P.O. BOX 960688
Miami, Florida 33296-0688
Teléfono: 305/385-2687
Facsímil: 305/388-4567